Um corpo na biblioteca

Um caso de Miss Marple

Tradução
Edilson Alkimin Cunha

Rio de Janeiro, 2022

The Body in the Library Copyright © 1942 Agatha Christie Limited. All rights reserved.

AGATHA CHRISTIE, MISS MARPLE and the Agatha Christie Signature are registered trade marks of Agatha Christie Limited in the UK and/or elsewhere. All rights reserved.

Direitos de edição da obra em língua portuguesa no Brasil adquiridos pela Casa dos Livros Editora LTDA. Todos os direitos reservados. Nenhuma parte desta obra pode ser apropriada e estocada em sistema de banco de dados ou processo similar, em qualquer forma ou meio, seja eletrônico, de fotocópia, gravação etc., sem a permissão do detentor do copirraite.

Este livro não pode ser exportado para Portugal ou outros países de língua portuguesa

Diretora editorial: Raquel Cozer
Gerente editorial: Alice Mello
Editor: Ulisses Teixeira
Preparação de originais: Gustavo Penha, José Grillo e Bete Muniz
Projeto gráfico de miolo: Leandro B. Liporage
Diagramação: Leandro Collage
Projeto gráfico de capa: Maquinaria Studio

CIP-Brasil. Catalogação na fonte
Sindicato Nacional dos Editores de Livros, RJ

C479c

Christie, Agatha, 1890-1976
    Um corpo na biblioteca: um caso de Miss Marple / Agatha Christie ; tradução de Edilson Alkimin Cunha. – 1. ed. – Rio de Janeiro: HarperCollins Brasil, 2017.

    Tradução de: *The body in the library*
    ISBN 9788595080652

    1. Romance inglês. I. Cunha, Edilson Alkimin. II. Título.

CDD: 823
CDU: 821.111-3

Contatos:
Rua da Quitanda, 86, sala 218 – Centro – 20091-005
Rio de Janeiro – RJ – Brasil
Tel.: (21) 3175-1030

Printed in China.

Prefácio

Há certos chavões que pertencem a determinados tipos de ficção. O "mau e ousado baronete" no melodrama, "o corpo na biblioteca" na ficção policial. Durante muitos anos, estudei a possibilidade de uma adequada "Variação do conhecido tema". Propus-me certas condições. A biblioteca em questão deveria ser uma biblioteca bastante ortodoxa e convencional. O cadáver, de outro lado, deveria ser um corpo extravagantemente inusitado e extremamente sensacional. Esses eram os termos do problema, mas durante alguns anos permaneceram como tais, representados apenas por algumas linhas malredigidas num caderno de exercícios. Posteriormente, veraneando por alguns dias num elegante hotel à beira-mar, observei uma família a uma das mesas da sala de jantar; um senhor idoso, paraplégico, numa cadeira de rodas, e com ele pessoas da família uma geração mais jovem. Felizmente partiram no dia seguinte, de modo que minha imaginação pôde trabalhar sem o embaraço de qualquer espécie de conhecimento. Quando me perguntam: "A senhora põe pessoas reais em seus livros?", respondo que para mim é inteiramente impossível escrever sobre qualquer pessoa que eu conheça, ou mesmo com quem tenha conversado, ou de quem apenas tenha ouvido falar! Não sei por que motivo, isso é o suficiente, para, no que me diz respeito, destruí-los completamente. No entanto, posso tomar um "manequim" e dotá-lo de qualidades e ideias concebidas por mim.

Assim um senhor idoso e paraplégico tornou-se o pivô da história. O coronel e a sra. Bantry, antigos amigos íntimos da minha Miss Marple, tinham o tipo exato de biblioteca de que eu precisava. Como numa receita culinária, acrescentem-se os seguintes ingredientes: um instrutor de tênis, uma jovem dançarina, um artista, uma jovem guia, uma recepcionista de um salão de dança etc. E sirvam-se *à la* Miss Marple!

Agatha Christie

Capítulo 1

I

A sra. Bantry estava sonhando. Suas ervilhas-de-cheiro tinham ficado em primeiro lugar na exposição de flores. O pastor, de batina e sobrepeliz, distribuía os prêmios na igreja. Sua esposa perambulava por perto, vestida num roupão de banho, mas, como costuma acontecer na bênção dos sonhos, esse fato não provocou a desaprovação do sacerdote como certamente teria acontecido na vida real...

A sra. Bantry deleitava-se no seu sonho. De modo geral adorava os sonhos do amanhecer, que terminavam com a chegada do café da manhã. Em alguma parte de sua consciência mais profunda, percebia os ruídos domésticos do início da manhã. O guizo das argolas da cortina das escadas, quando a empregada as corria, os ruídos da pá de lixo e da vassoura da segunda empregada no passeio da casa. A distância, o barulho pesado do ferrolho da porta da frente, ao ser puxado.

Enquanto isso, devia aproveitar ao máximo a exposição de flores — pois a sensação de que tudo não passava de um sonho começava a se manifestar...

Do andar de baixo, vinha o ruído das grandes venezianas de madeira da sala, que estavam sendo abertas. Ela ouvia e, entretanto, não ouvia. Por mais uma meia hora os ruídos domésticos continuariam, discretos, abafados, tão familiares que não chegavam a perturbar. Culminariam num som rápido e controlado de passos no corredor, o farfalhar dos drapeados de um vestido, o tinido abafado do serviço de chá quando a bandeja era colocada sobre a mesa lá fora, em seguida a batida de leve na porta e a entrada de Mary para abrir as cortinas.

Em seu sono a sra. Bantry franziu o cenho. Algo de perturbador estava atravessando seu sonho, algo fora de hora. Pisadas pelo corredor, passos apressados demais, e ainda tão cedo. Seus ouvidos ouviam inconscientemente o tinido de louça, mas não havia tinido de louça.

Bateram à porta. Do fundo de seus sonhos, a sra. Bantry disse automaticamente:

— Entre.

Abriu-se a porta. Agora ouviria os guizos das argolas da cortina. Da fraca luz verde veio a voz de Mary, sem fôlego, histérica.

— Oh, que coisa horrível, *há um corpo na biblioteca.*

E em seguida, com um acesso histérico de soluços, saiu correndo do quarto.

II

A sra. Bantry sentou-se na cama.

Será que seu sono tomou um rumo estranho ou Mary realmente entrou ali correndo e disse "incrível, fantástico!" que havia um corpo na biblioteca?

"Impossível", disse a sra. Bantry para si mesma. "Devo ter sonhado."

Mas, mesmo ao afirmar isso, sentiu-se ainda mais convencida de que não estivera dormindo, de que Mary, sua Mary autocontrolada e superior, tinha realmente pronunciado aquelas terríveis palavras.

A sra. Bantry refletiu por alguns instantes e em seguida resolveu que a emergência justificava aplicar uma cotovelada conjugal em seu marido ainda adormecido.

— Arthur, Arthur, acorde.

O coronel Bantry grunhiu, resmungou e virou-se para o outro lado.

— Arthur, levante-se. Não ouviu o que ela disse?

— Talvez — respondeu o coronel Bantry indistintamente. — Concordo com você, Dolly.

E caiu de novo no sono. A sra. Bantry o sacudiu.

— Você precisa me escutar, Mary entrou aqui e disse que há um corpo na biblioteca.

— Há o quê?

— Um *corpo* na *biblioteca.*

— Quem disse isso?

— Mary.

O coronel Bantry reuniu todos os seus sentidos dispersos e procurou inteirar-se da situação.

— Tolice, minha velha — disse ele. — Você deve ter sonhado.

— Não, não estava sonhando. Até pensei que estivesse. Mas não estava. Mary de fato entrou e disse isso.

— Mary entrou e disse que havia um corpo na biblioteca?

— Isso mesmo.

— Mas não, não pode ser.

— Mas então por que Mary diria isso?

— Ela não pode ter dito.

— Disse.

— Você deve ter imaginado.

— Não, não imaginei nada.

O coronel Bantry estava agora completamente acordado e preparado para avaliar a situação real.

— Você esteve sonhando, Dolly — disse ele bondosamente. — É tudo. É aquele conto policial que você estava lendo. *A pista do palito de fósforo quebrado*. Lord Edgbaston encontra o lindo corpo de uma loura sobre o tapete da biblioteca. Corpos estão sendo sempre encontrados nas bibliotecas, nos livros. Nunca soube de um caso real.

— Talvez seja esta a sua primeira vez — disse a sra. Bantry. — De qualquer maneira, Arthur, levante-se e vá ver.

— Ora, Dolly, *só pode* ter sido um sonho. Os sonhos muitas vezes são tão maravilhosamente nítidos, que ao acordarmos parecem realidade.

— Eu estava tendo um sonho muito diferente. Era uma exposição de flores e a mulher do pastor estava vestida com um roupão de banho. Mais ou menos isso.

Com uma súbita manifestação de energia, a sra. Bantry pulou da cama e puxou as cortinas. A luz de um lindo dia de outono invadiu o quarto.

— Não foi sonho *coisa nenhuma* — disse ela firmemente. — Levante-se logo, Arthur, desça e vá ver isso.

— Você quer que eu desça para perguntar se há um corpo na biblioteca?

— Não precisa perguntar nada — respondeu a sra. Bantry. — *Se houver* um corpo na biblioteca e, naturalmente, é bem possível que Mary tenha ficado louca e pense que viu coisas que não existem... alguém lhe dirá logo. Você não precisará dizer *nada*.

Resmungando, o coronel Bantry vestiu seu roupão e saiu do quarto. Caminhou pelo corredor e desceu a escada, ao pé da qual se acotovelava um pequeno grupo de criadas, algumas delas soluçando. O mordomo adiantou-se com um ar que sobressaltou o coronel.

— Graças a Deus o senhor veio, patrão. Tinha ordenado que nada fosse feito antes de o senhor chegar. Acha que eu já deveria ter chamado a polícia?

— Chamar a polícia? Para quê?

O mordomo lançou um olhar de repreensão para uma jovem que estava chorando histericamente no ombro da cozinheira.

— Eu pensei que Mary já o tivesse informado, patrão. Ela me disse que o fizera.

Mary falou ofegante.

— Eu estava tão atordoada que não sei o que disse. Lembrei-me de tudo de novo e minhas pernas começaram a tremer. Daí, vi tudo embaralhado. Encontrar uma coisa daquelas... oh, oh, oh!

E apoiou-se de novo no ombro da sra. Eccles, que dizia para tranquilizá-la:

— Acalme-se, acalme-se, minha filha.

— Mary está muito perturbada, patrão. É natural. Afinal, foi ela que descobriu essa coisa macabra — explicou o mordomo. — Entrou na biblioteca, como de costume, para abrir as cortinas e... quase tropeçou no corpo.

— Você quer dizer — perguntou o coronel Bantry —, que há um cadáver na minha biblioteca... na *minha* biblioteca? O mordomo tossiu.

— Talvez fosse bom o senhor ir ver pessoalmente.

III

— Alô, alô, posto policial. Sim, quem está falando?

O policial Palk com uma das mãos abotoava sua farda e com a outra segurava o fone.

— Sim, é da polícia de Gossington. Como? Oh, bom dia, senhor.

O tom de voz do policial passou por uma ligeira modificação. Tornou-se menos impaciente, ao reconhecer a voz do generoso patrono dos esportes da polícia e principal magistrado do distrito.

— As suas ordens, senhor. Em que lhe posso ser útil?... Desculpe, mas não compreendi bem... o senhor disse um corpo?... Sim. Sim, como o senhor preferir... Está bem, senhor... O senhor disse... uma jovem que não conhece?... Está bem. Pode deixar tudo por minha conta.

O policial colocou o fone no gancho, emitiu um longo assobio e começou a discar o número de seu superior.

A sra. Palk espiou da cozinha de onde vinha o cheiro apetitoso de *bacon* frito.

— O que é que há?

— A coisa mais estranha que já se ouviu — respondeu o marido. — Foi encontrado o corpo de uma jovem em Hall. Na biblioteca do coronel.

— Assassinada?

— Estrangulada, foi o que ele disse.

— Quem era ela?

— Diz o coronel que nunca a viu.

— Mas então o que estava fazendo na biblioteca?

O policial Palk a fez se calar com um olhar de repreensão e começou a falar de modo formal pelo telefone.

— Inspetor Slack? Aqui fala o Palk. Acabo de ser informado de que foi achado hoje, às 7h15, o corpo de uma jovem...

IV

O telefone de Miss Marple tocou enquanto ela se vestia. A chamada a agitou um pouco. Seu telefone não costumava tocar àquela hora. Sua vida de solteirona era tão sistemática, conduzida de modo tão meticuloso, que qualquer telefonema inesperado desencadeava vivas suposições.

— Meu Deus! — exclamou Miss Marple, olhando perplexa para o aparelho que soava. — Quem será?

Das nove às nove e meia da noite era a hora de praxe na aldeia para as conversas telefônicas, resultando sempre em planos para o dia seguinte, convites e assim por diante. O açougueiro tinha o costume de ligar um pouco antes das nove, no caso de ocorrer alguma emergência no mercado de carne. Durante o dia, o telefone podia tocar ocasionalmente, mas era considerado pouco delicado fazer chamadas à noite, depois das 21h30. Era verdade que um sobrinho de Miss Marple, um escritor, e por conseguinte excêntrico, tinha o costume de ligar nas horas mais inconvenientes, às vezes mesmo por volta da meia-noite. Mas quaisquer que fossem as excentricidades de Raymond West, levantar-se cedo não era uma delas. Nem ele nem ninguém do conhecimento de Miss Marple tinha costume de telefonar antes das oito da manhã. Na verdade, 7h45.

Cedo demais, mesmo para um telegrama, uma vez que o telégrafo não abria antes das oito da manhã.

— Deve ser engano — decidiu Miss Marple.

Tendo assim decidido, dirigiu-se ao aparelho, impaciente, e o fez calar, retirando o fone.

— Alô — disse ela.

— É você, Jane?

Miss Marple ficou muito surpresa.

— Sim, é Jane. Você se levanta muito cedo, Dolly.

A voz da sra. Bantry chegava trêmula e agitada.

— Aconteceu uma coisa pavorosa.

— O quê, querida?

— Acabamos de encontrar um corpo na biblioteca.

Miss Marple achou por alguns instantes que sua amiga tinha ficado maluca.

— Vocês encontraram o *quê*?

— Eu sei. Ninguém acredita, não é? Eu também pensava que essas coisas só aconteciam nos livros. Tive de discutir longamente com Arthur esta manhã até que ele resolvesse descer e ir ver.

Miss Marple procurava controlar-se. Perguntou quase sem fôlego:

— Mas de quem é o corpo?

— É uma loura.

— Uma o quê?

— Uma loura. Uma linda loura... como nos livros também. Ninguém aqui de casa a conhece. Mas está lá, estendida na biblioteca, morta. É por isso que você precisa vir aqui imediatamente.

— Você quer que eu vá aí?

— Sim, estou mandando o carro apanhá-la.

— Está bem, querida — disse Miss Marple indecisa —, se acha que posso confortá-la...

— Oh, não, não preciso de conforto. Mas você é muito competente com cadáveres.

— Oh, não, por favor, Dolly. Meus modestos sucessos têm sido na sua maioria teóricos.

— Mas você é ótima em assassinatos. Ela foi estrangulada, sabe? Já que houve um assassinato na minha própria casa, é melhor pelo menos me divertir com isso. Não sei se está me compreendendo. É por isso que quero que venha ajudar-me a descobrir quem fez isso e esclarecer todo o mistério. É realmente excitante, não acha?

— Bem, é claro, querida, se *é* que lhe posso ser de alguma utilidade.

— Ótimo. Arthur está de péssimo humor. Parece pensar que eu não deveria me divertir com isso. Claro que sei que é muito triste e tudo, mas não conheço a jovem e no que você a vir compreenderá o que quero dizer quando afirmo que ela não parece *real*.

V

Um pouco afobada, Miss Marple saiu do carro dos Bantry, quando o motorista lhe abriu a porta.

O coronel Bantry surgiu nos degraus da entrada e parecia um tanto surpreso.

— Miss Marple?... prazer em vê-la.

— Sua mulher me telefonou — explicou Miss Marple.

— Ótimo, ótimo. Dolly precisa ter alguém com ela. Caso contrário, sofrerá um colapso. Por enquanto está se fazendo de forte mas a senhora sabe como é...

Naquele momento, apareceu a sra. Bantry, que exclamou:

— Vá acabar de tomar seu café, Arthur. O *bacon* está esfriando.

— Pensei que fosse o inspetor que estivesse chegando — explicou o coronel Bantry.

— Ele não vai demorar — disse a sra. Bantry. — É por isso que acho bom ir tomar seu café primeiro. Você precisa se alimentar.

— Você também. É melhor ir para dentro comer alguma coisa, Dolly...

— Irei nesse instante — disse a sra. Bantry. — Vá, Arthur.

O coronel Bantry foi enxotado para dentro como uma galinha teimosa.

— *Finalmente!* — disse a sra. Bantry com uma entonação de triunfo. — Vamos, entre.

Ela tomou rapidamente a dianteira no corredor, dirigindo-se para a ala leste da casa. Do lado de fora da porta da biblioteca, estava de guarda o policial Palk, que interceptou a sra. Bantry com um ar de autoridade.

— Sinto muito, madame, mas ninguém pode entrar. São ordens do inspetor.

— Bobagem, Palk — disse a sra. Bantry. — O senhor sabe perfeitamente quem é Miss Marple.

O policial Palk confessou que não conhecia Miss Marple.
— É muito importante que ela veja o corpo — disse a sra. Bantry, — Deixe de bobagem, Palk. Afinal de contas, a biblioteca é *minha*, não é?

O policial afastou-se. Tinha o antigo hábito de ceder a pessoas importantes. "O inspetor não pode jamais saber disso", pensou ele.

— Nada deve ser tocado ou manuseado — advertiu às senhoras.

— É claro que não — disse a sra. Bantry impaciente.

— Sabemos *disso*. O senhor pode entrar e vigiar, se quiser.

Palk aproveitou-se da permissão dada e acompanhou-as, como aliás já tinha a intenção de fazer.

A sra. Bantry conduziu sua amiga triunfantemente pela biblioteca na direção da grande lareira já fora de moda.

— Ali! — exclamou com o sentimento dramático de clímax.

Miss Marple compreendeu então exatamente o que sua amiga quisera expressar quando dissera que a moça morta não parecia real. A biblioteca era um ambiente que guardava as características de seus proprietários: ampla, gasta e desordenada. Tinha grandes poltronas já decadentes; cachimbos, livros e documentos cobriam uma mesa imensa. Havia um ou dois velhos retratos da família nas paredes e péssimas aquarelas vitorianas com algumas cenas de caça pretensamente engraçadas. Havia um grande vaso de ásteres num canto do ambiente, que era sombrio, simples e descuidado. Evidenciava uma longa ocupação, uso familiar e vínculos com a tradição.

E de lado a lado do tapete central de pele de urso jazia estatelado algo novo, brutal e melodramático.

A figura extravagante de uma jovem. Uma jovem com cabelos artificialmente embelezados que lhe caíam sobre o rosto em cachos e anéis. Seu corpo franzino trajava um vestido toalete de cetim, sem costas, de cor branca reluzente. O rosto estava pesadamente maquiado, o pó sobressaindo grotescamente sobre a pele inchada e azulada.

A base da maquiagem permanecia espessa sobre as maçãs do rosto desfigurado; o vermelho vivo dos lábios parecia um corte profundo. As unhas das mãos estavam pintadas com esmalte vermelho escuro, como também os dedos dos pés, metidos num par de ordinárias sandálias cor de prata. Era uma figura vulgar, espalhafatosa, extravagante, mais do que imprópria em meio ao conforto austero e antiquado da biblioteca do coronel Bantry.

— Está vendo agora o que quis dizer? Não parece real! — disse a sra. Bantry em voz baixa.

A velha senhora a seu lado assentiu com a cabeça. Ficou contemplando pensativa a figura tão deslocada. No fim disse em tom moderado:

— Era muito jovem.

— Sim, sim, acho que era.

A sra. Bantry parecia quase surpresa como quem faz uma descoberta.

Miss Marple curvou-se. Não tocou na moça. Olhou os dedos que apertavam freneticamente a gola do vestido, como se o tivesse rasgado em sua última luta frenética para respirar.

Ouviu-se o barulho de um carro que rangeu sobre o cascalho do lado de fora.

— Deve ser o inspetor... — disse o policial Palk afobado.

Confirmando sua arraigada convicção de que pessoas de bem não nos desapontam, a sra. Bantry dirigiu-se imediatamente à porta, seguida de Miss Marple.

— Não haverá problemas, Palk — disse a sra. Bantry.

Palk sentiu-se imensamente aliviado.

VI

Deglutindo os últimos fragmentos de torrada e geleia com um gole de café, o coronel Bantry apressou-se a ir para o saguão e respirou aliviado ao ver o coronel Melchett, chefe de polícia do município, descendo do carro acompanhado do inspetor Slack. Melchett era amigo do coronel. Quanto a Slack, nunca lhe tinha sido apresentado. Era um homem forte que contradizia o seu próprio nome*, e que acompanhava seu jeito enérgico de uma boa dose de desconsideração para com os sentimentos de quem quer que fosse que não julgasse importante.

— Bom dia, Bantry — disse o chefe de polícia. — Achei que seria melhor vir logo. Isso me parece um caso fora do comum.

— É... é, sim — o coronel Bantry procurava expressar-se — É *incrível... absurdo!*

— Tem alguma ideia de quem seja a mulher?

— Nenhuma. Nunca a vi em minha vida.

— O mordomo sabe de alguma coisa? — perguntou o inspetor Slack.

— Lorrimer está tão surpreso quanto eu.

— Ah! — disse o inspetor Slack. — É estranho.

— O café está servido, Melchett. Não quer tomar alguma coisa?

— Não, não. E melhor irmos logo ao trabalho. Haydock deverá estar aqui a qualquer momento. Ah, está chegando.

Outro carro parou e dele saiu um homem grande e espadaúdo, o dr. Haydock, que era também médico da polícia. Um segundo carro da polícia tinha descarregado dois homens vestidos à paisana, um deles com uma câmera fotográfica.

— Tudo pronto? — perguntou o chefe de polícia.

— Ótimo. Vamos ver. Na biblioteca, conforme me disse Slack.

O coronel gemeu.

— Incrível! Você sabe, quando minha mulher insistiu esta manhã em que a empregada tinha entrado no quarto e dito que havia um corpo na biblioteca, eu não quis acreditar nela.

— É claro, posso compreender perfeitamente. Espero que sua esposa não tenha ficado muito sobressaltada com tudo isso.

---

* *Slack* em inglês significa *frouxo* ou *fraco*. (N.E.)

— Ela se comportou maravilhosamente. Realmente, de modo admirável. Convidou sua velha amiga, Miss Marple, a vir aqui. Ela é lá da aldeia, sabe?

— Miss Marple? — surpreendeu-se o chefe de polícia. — Por que mandou chamá-la?

— Oh, as mulheres sempre precisam de outra para tagarelar, não acha?

O coronel Melchett disse com um certo sorriso de mofa.

— Se quer minha opinião, sua esposa vai querer bancar a detetive amadora. Miss Marple é o tipo da investigadora de província. Ela já nos passou a perna, uma vez, não foi, Slack?

— Aquilo foi diferente — disse o inspetor Slack.

— Diferente de quê?

— Daquela vez era um caso local, Sir. A velha sabe de tudo que se passa na aldeia, isso é verdade. Mas o que temos aqui está fora da alçada dela.

— Você também sabe pouco a respeito desse caso, Slack — disse Melchett secamente.

— Já vai ver, chefe. Não vou precisar de muito tempo para esclarecer tudo.

VII

Na sala de jantar, a sra. Bantry e Miss Marple tomavam o café da manhã.

Depois de servir sua hóspede, disse a sra. Bantry com insistência:

— E então, Jane?

Miss Marple levantou a vista e olhou para ela perplexa. A sra. Bantry perguntou esperançosa:

— Isso não a faz lembrar de alguma coisa?

Miss Marple tinha se tornado famosa por sua capacidade de ligar acontecimentos triviais da aldeia com problemas mais graves, lançando luz sobre os últimos.

— Não — respondeu Miss Marple pensativa. — Não posso dizer se me lembro de algo, no momento. Pensei na caçula da sra. Chetty, Edie, você a conhece. Mas acho que foi somente porque essa pobre moça roía unhas e por ter os dentes da frente um pouco para fora. Nada mais do que isso. E, é claro — continuou Miss Marple, acompanhando a comparação —, Edie adorava também o que eu chamo de coisas baratas.

— Você se refere ao vestido dela? — perguntou a sra. Bantry.

— Sim, um cetim de mau gosto, de qualidade inferior.

— Eu sei — disse a sra. Bantry. — Uma dessas lojinhas imundas, onde tudo é vendido por ninharias. Deixe ver — continuou esperançosa — o que aconteceu à Edie da sra. Chetty.

— Ela acaba de ser admitida em seu segundo emprego e está indo muito bem, creio.

A sra. Bantry sentiu-se um pouco desapontada. O paralelo da aldeia não lhe parecia muito promissor.

— O que não posso compreender — disse a sra. Bantry — é o que estaria fazendo no escritório de Arthur. A janela foi forçada, segundo Palk. Ela poderia ter entrado aqui com um ladrão e depois os dois terem brigado... mas isso parece não ter sentido, não é?

— Ela não estava adequadamente vestida para um roubo — observou Marple pensativa.

— Não, ela estava vestida para um baile ou para alguma festa. Mas não há nada disso aqui, nem por perto.

— Não, não há — balbuciou Miss Marple em tom de dúvida. A sra. Bantry empolgou-se.

— Você tem alguma ideia, Jane?

— É, estava apenas pensando...

— Em quê?

— Em Basil Blake.

— Oh, não! — exclamou a sra. Bantry, acrescentando como explicação: — Eu conheço a mãe dele.

As duas mulheres se entreolharam.

Miss Marple suspirou e meneou a cabeça.

— Posso compreender o que você sente a respeito.

— Selina Blake é uma criatura excelente. Sua cerca de plantas é simplesmente maravilhosa. Fico verde de inveja. E ela dá mudas com muita generosidade.

Miss Marple, ignorando as considerações da sra. Bantry, acrescentou:

— E, no entanto, você sabe, correm muitos *boatos* por aí.

— Oh, sim, eu sei. E naturalmente Arthur fica lívido quando ouve o nome de Basil Blake. Ele foi realmente *muito* grosseiro com Arthur, e desde então Arthur não quer ouvir falar dele. Não tolera esse modo estúpido e desdenhoso de falar dos jovens de hoje em dia, escarnecendo das pessoas que defendem sua escola ou o império ou coisa semelhante. E, depois, é claro, o tipo de roupas que ele usa!

"Dizem — continuou a sra. Bantry — que não tem importância o que se usa no interior. Nunca ouvi tamanho absurdo. Pois é exatamente no interior que todo mundo nota as coisas. — Fez uma pausa e acrescentou espirituosamente: — Ele era uma criancinha adorável em seu banho."

— Há uma linda fotografia do assassino de Cheviot quando criança, no jornal de domingo passado — disse Miss Marple.

— Sim, Jane, mas você não acha que *ele*...

— Não, absolutamente. Não quis dizer isso. Seria precipitado. Estava apenas procurando explicar a presença do cadáver da jovem aqui. St. Mary Mead é um lugar tão inverossímil. Então me pareceu que a única explicação possível era Basil Blake. Ele dá festas. Vem gente de Londres e dos estúdios. Lembra-se de julho passado? Gritando e cantando, um barulho *horrível*, todo mundo bêbado, infelizmente. E a confusão e os vidros quebrados na manhã seguinte, era incrível, conforme me contou a velha sra. Buny. E uma jovem dormindo no banheiro praticamente *nua*!

— Gente de cinema, provavelmente — disse a sra. Bantry indulgente.

— É provável. E, depois, acho que você também ouviu falar... Basil, ultimamente traz todo fim de semana uma jovem loura platinada.

— Não vá você me dizer que é ela!

— Bem, estava pensando. É claro que nunca a vi de perto mas só entrando e saindo do carro, e uma única vez no jardim do bangalô tomando banho de sol, só de *short* e sutiã. Realmente nunca vi seu *rosto*. E todas essas moças com suas maquiagens, seus cabelos e unhas se parecem umas com as outras.

— É, bem que poderia ser. É só uma ideia, Jane.

Capítulo 2

I

Era uma ideia que estava sendo discutida naquele momento pelo coronel Melchett e o coronel Bantry.

O chefe de polícia, depois de examinar o corpo e mandar seus subordinados executarem as tarefas de rotina, tinha-se dirigido com o proprietário para o escritório, na outra ala da casa.

O coronel Melchett era um tipo de aspecto irascível, que tinha o hábito de puxar os fios do bigode curto e ruivo. Era o que estava fazendo no momento, lançando indagativos olhares de esguelha para o outro coronel. Finalmente, perguntou com rudeza:

— Olhe aqui, Bantry. Tenho uma dúvida e gostaria de me livrar dela. Você, realmente, não sabe quem é aquela moça?

A resposta do coronel Bantry ia ser explosiva mas o policial o interrompeu.

— Eu sei, eu sei, meu caro, mas olhe bem. O negócio poderia ser um bocado incômodo para você. Um homem casado, que ama sua mulher e tudo o mais. Mas, aqui entre nós, se *tem* qualquer ligação com a vítima, é melhor dizer *agora*. É muito natural querer esconder o fato. Eu faria o mesmo. Mas não convém. Trata-se de um crime. Os fatos acabam vindo à luz. Não estou sugerindo que você tenha estrangulado a jovem... não o creio capaz disso. Suponhamos que ela tenha entrado aqui e o estivesse esperando e algum sujeito a tivesse acompanhado e matado aqui dentro. É possível, sabe. Compreende o que eu quero dizer?

— Ora essa, Melchett, eu lhe asseguro que nunca vi aquela moça na minha vida! Eu não sou um homem desse tipo.

— Está bem, então. Não queria ofender, nem chamar você de mundano. Mas a questão continua de pé: o que estaria ela fazendo aqui? O certo é que não é daqui deste lugar.

— Até parece um pesadelo — disse o dono da casa tomado de raiva.

— Aí está a questão, meu caro. O que estaria fazendo na sua biblioteca?

— Como posso saber? Eu não a chamei aqui.

— Não, não. Mas, seja lá como for, ela *veio*. Parece que queria vê-lo. O senhor não recebeu nenhuma carta estranha ou coisa parecida?

— Não, não recebi nada.

O coronel Melchett perguntou delicadamente:

— O que esteve fazendo na noite passada?

— Estive numa reunião na Associação Conservadora. Às nove horas, em Much Benham.

— E quando voltou para casa?

— Saí de Much Benham um pouco depois das dez. Houve, porém, uma série de contratempos no caminho e tive de trocar um pneu. Quando cheguei em casa eram 23h45.

— Esteve na biblioteca?

— Não.

— Foi uma pena.

— Estava cansado. Fui direto para a cama.

— Ninguém o esperava?

— Não. Eu sempre levo as chaves. Lorrimer recolhe-se às onze horas, a não ser que lhe dê ordens em contrário.

— Quem fecha a biblioteca?

— Lorrimer. Geralmente às 19h30 nesta época do ano.

— Teria ele estado lá durante a noite?

— Durante minha ausência, não. Ele deixou a bandeja com uísque e copos no salão.

— Está bem. E sua senhora?

— Não sei. Ela estava deitada quando cheguei, e adormeci logo. Pode ter estado na biblioteca ontem à noite, ou na sala de estar. Esqueci de lhe perguntar.

— Está bem. Saberemos logo todos os detalhes. É claro que algum criado pode estar envolvido, não acha? O coronel Bantry meneou a cabeça.

— Não o creio. São todos muito corretos. Estão conosco há anos.

Melchett concordou.

— É, não parece provável que estejam metidos nisso. Tudo indica que a moça veio da cidade, talvez com algum jovem. Mas porque teriam entrado nesta casa...

Bantry o interrompeu.

— De Londres. É o mais provável. Não temos dessas ocorrências por aqui, pelo menos...

— O que quer dizer com isso?

— Palavra de honra! — explodiu o coronel Bantry. — Basil Blake!

— Quem é ele?

— Um jovem ligado à indústria cinematográfica. Um sujeito grosseiro e pernicioso. Minha mulher o defende porque foi colega de sua mãe na escola. Mas não passa de um mequetrefe dessa juventude inútil e decadente! Precisa de um pontapé no traseiro! Mora naquele bangalô na Lansham Road, sabe qual é? Um nesse estilo de construção horrivelmente moderno. Dá festas ali, com grupos barulhentos e escandalosos, e recebe moças nos fins de semana.

— Moças?

— Sim, na semana passada tinha uma. Uma dessas louras platinadas...

O coronel ficou de queixo caído.

— Uma loura platinada, hein? — disse Melchett pensativo.

— Exato. Você não acha, Melchett...

O policial interrompeu-o incontinênti.

— É uma possibilidade. Explica uma jovem desse tipo em St. Mary Mead. Acho que preciso ter uma conversa com esse jovem... Braid... Blake... como é mesmo seu nome?

— Blake. Basil Blake.

— Estaria em casa agora?

—Vamos ver. Que dia é hoje? Sábado? Em geral não sai daqui nas manhãs de sábado.

—Vamos ver — disse Melchett sombriamente.

II

A casa de Basil Blake, que reunia todas as comodidades modernas encerradas numa horrível concha de estrutura aparente e pretenso estilo Tudor, era conhecida pelos funcionários dos correios e pelo construtor William Booker como Casa dos Tordos; por Basil e seus amigos como A Peça da Época, e para a aldeia de St. Mary Mead, em geral, como "a casa nova do sr. Booker".

A casa ficava a pouco mais de quatrocentos metros da aldeia, situada numa nova área de construção que tinha sido comprada pelo empreendedor sr. Booker, pouco adiante do Blue Boar, de frente para o que tinha sido uma alameda com a natureza intacta. Gossington Hall era a mais ou menos 1,5km, ao longo da mesma estrada.

St. Mary Mead foi tomada de vivo interesse, quando correu a notícia de que "a casa nova do sr. Booker" tinha sido comprada por um astro de cinema. Todos estavam ansiosos para presenciar o primeiro aparecimento da importante personalidade na aldeia. E pode-se dizer que, no tocante às aparências, Basil Blake era tudo que poderia ser imaginado. Pouco a pouco, entretanto, a realidade dos fatos começou a transpirar. Basil Blake *não* era astro de cinema, nem tampouco trabalhava em filmes. Era ainda muito jovem e se comprazia com o título de ser mais ou menos o décimo quinto da lista dos responsáveis por Decorações de Ambiente nos Estúdios Lenville, sede da British New Era Films. As mulheres da aldeia perderam o interesse e a classe dirigente de solteironas reprovadoras criticava os hábitos de vida de Basil Blake. Só o proprietário do Blue Boar continuava entusiasmado com Basil e seus amigos. O faturamento do Blue Boar tinha aumentado desde a chegada do jovem ao lugar.

O carro da polícia parou do lado de fora do portão rústico e retorcido, fruto da fantasia do sr. Booker e o coronel Melchett, com uma expressão de fastio diante do excesso da fachada da casa, dirigiu-se à porta de entrada e bateu energicamente com a aldrava.

A porta abriu-se muito mais rapidamente do que esperava. Apareceu um jovem de cabelos pretos, lisos, um pouco compridos, usando calças de belbutina cor de laranja e uma camisa azul-escura.

— O que é que o senhor deseja?
— O senhor é o sr. Blake?
— Claro que sim.
— Gostaria de conversar um pouco com o senhor.
— E quem é você?
— Sou o coronel Melchett, chefe de polícia do município.
— Oh, não diga. Que interessante! — disse o sr. Blake insolentemente.

E o coronel Melchett, entrando atrás dele, compreendeu de imediato as reações do coronel Bantry. Estava começando a se irritar.

Contendo-se, entretanto, disse, procurando mostrar-se agradável:

— O senhor é um madrugador, sr. Blake.
— O senhor se engana. Eu não me deitei ainda.
— De fato?
— Mas não creio que o senhor tenha vindo aqui para saber a hora em que me recolho. Se tiver sido, será um desperdício de tempo e de dinheiro do município. O que é que o traz aqui?

O coronel Melchett pigarreou.

— Ouvi dizer, sr. Blake, que neste último fim de semana o senhor recebeu uma visita... uma moça loura.

Basil Blake arregalou os olhos, jogou a cabeça para trás e deu uma gargalhada.

— As velhotas do condado foram procurá-lo por causa disso? Por causa do meu modo de vida? Ora essa, a moral não é assunto para a polícia. O *senhor* sabe disso.

— Como o senhor diz — ponderou Melchett secamente —, não me interessa sua moral. Vim procurá-lo por causa do cadáver de uma moça loura, de aparência, diria, um tanto extravagante, que foi encontrada... assassinada.

— Como? — Blake o encarou. — Onde?

— Na biblioteca, em Gossington Hall.

— Em Gossington? Na casa do coronel Bantry? Aquele ricaço. O velho Bantry! Aquele velho indecente!

O coronel Melchett ruborizou-se.

— Por favor, queira controlar sua língua. Vim aqui interrogá-lo na esperança de lançar alguma luz sobre o caso — disse o coronel, incisivamente, ao jovem que se mostrava de novo sorridente.

— Quer dizer que veio precisamente para me perguntar se perdi uma loura? É isso?

Um carro parou à porta rangendo os freios. Uma jovem, vestindo pijama preto e branco, saiu dele. Tinha lábios vermelhos, cílios escurecidos e cabelos louros. Encaminhou-se a passos rápidos na direção da porta, abriu-a violentamente e exclamou zangada:

— Por que você me abandonou, seu salafrário?

Basil Blake tinha se levantado.

— Já vem você! Por que eu a abandonaria? Eu lhe pedi para vir embora. E você não quis.

— Mas por que diabo eu teria de vir embora, só porque você queria? Estava me divertindo.

— Sim, divertindo-se com o nojento do Rosemberg. Você sabe com que ele se parece?

— Ah, você está enciumado.

— Não se lisonjeie. Detesto ver uma moça, de quem gosto, ficar bêbada a ponto de não poder segurar seu copo, e não repelir a pata de um nojento da Europa Central.

— Isso é pura mentira. Você é quem estava bebendo demais e atrás daquela cadela morena da Espanha.

— Se a convido para uma festa, espero que seja capaz de se comportar devidamente.

— Só que não aceito ordens. Você disse que iríamos à festa e voltaríamos para aqui depois. Não vou deixar uma festa antes de estar com vontade de ir embora.

— É claro! Foi por isso que deixei você lá! Eu estava com vontade de vir para casa e não ia ficar lá à toa, esperando por uma tola qualquer.

— Como você é gentil e educado, querido!

— Parece que você me imita em tudo!

— Eu quero dizer-lhe o que penso a seu respeito!

— Se acha que vai me dominar, está totalmente enganada.

— E se pensa que me pode dar ordens, está perdendo seu tempo!

Eles se encararam com olhar feroz.

Foi nesse momento que o coronel Melchett aproveitou a oportunidade e pigarreou fortemente.

Basil Blake voltou-se.

— Desculpe-me, esqueci que o senhor estava aqui. Pelo tempo, pensei que já tivesse ido embora. Permita-me apresentar-lhe Dinah Lee. O 007 da polícia local. E agora, coronel, que o senhor viu que minha loura está viva e gozando de boa saúde, talvez lhe convenha continuar a trabalhar no caso da *piranha* do velho Bantry.

— Aconselho-o a usar uma linguagem mais educada, meu jovem, ou acabará tendo problemas — disse o coronel Melchett e saiu bruscamente, vermelho de raiva.

Capítulo 3

I

Em seu escritório em Much Benham, o coronel Melchett recebia os relatórios de seus subordinados e os examinava:

— ...parece, portanto, bastante claro — concluía o inspetor Slack — que a sra. Bantry foi para a biblioteca depois do jantar e foi se deitar pouco antes das dez. Apagou as luzes ao sair da sala e, ao que parece, ninguém entrou ali depois. Os criados recolheram-se às 22h30 e Lorrimer, depois de colocar as bebidas no saguão, foi se deitar às 22h45. Ninguém ouviu nada de anormal, com exceção da terceira criada, e como ouviu! Gemidos e um grito pavoroso, além de pisadas ameaçadoras e não sei mais o quê. Mas a segunda criada, que divide com ela o quarto, diz que sua companheira dormiu profundamente a noite toda. São essas coisas que complicam tudo.

— E sobre a janela forçada?

— Coisa de amador, chefe — disse Simmons. — Foi arrombada com um formão comum, não deve ter feito muito barulho. Devia ser um formão da casa, mas ninguém o encontrou. Aliás, isso é muito frequente quando se trata de ferramentas.

— O senhor acha que algum empregado sabe de alguma coisa?

— Não, senhor, não creio — respondeu o inspetor Slack um tanto relutante. Parecem muito chocados e mesmo sobressaltados. Suspeitei um pouco de Lorrimer... estava reticente, acho que o senhor me compreende, mas não tenho nenhum fundamento para incriminá-lo.

Melchett assentiu com a cabeça. Não deu nenhuma importância à reticência de Lorrimer. O enérgico inspetor Slack produzia muitas vezes esse efeito nas pessoas que interrogava.

A porta se abriu e o dr. Haydock entrou.

— Achei que seria bom vir aqui para lhe dizer como vão as coisas.

— Oh, sim, ótimo. Prazer em vê-lo. E então?

— Quase nenhuma novidade. É exatamente como o senhor pensava. Morte por estrangulamento. Uma tira de cetim do próprio vestido enrolada no pescoço e amarrada atrás. Coisa muito fácil e simples de se fazer. Não haveria necessidade de muita força, isto é, caso a moça tenha sido apanhada de surpresa. Não há sinais de luta.

— E quanto à hora do crime?

— Entre dez e meia-noite, mais ou menos.

— Não pode precisar mais?

Haydock meneou a cabeça com um ligeiro sorriso.

— Não quero arriscar minha reputação profissional. Nem antes das dez nem depois da meia-noite.

— Mas, pessoalmente, que hora o senhor arriscaria?

— Depende. A lareira estava acesa; a sala estava quente, o que retardaria a rigidez cadavérica.

— Não tem mais nada a informar sobre a moça?

— Não muito. Era jovem, digamos, de 17 ou 18 anos. Sob certos aspectos, imatura, mas de músculos bem desenvolvidos. Um tipo sadio. A propósito, era virgem.

Com uma inclinação de cabeça, o médico saiu do gabinete.

— Você tem certeza de que a moça nunca foi vista em Gossington? — perguntou Melchett ao inspetor.

— Os criados são categóricos sobre isso, ficam mesmo indignados. Dizem que teriam se lembrado dela se já a tivessem visto pelas redondezas.

— Espero que sim — disse Melchett. — Qualquer pessoa daquele tipo se faria notar num raio de dois quilômetros. Veja aquela moça do Blake.

— É pena que não tenha sido ela — disse Slack —; poderíamos resolver um bocado de coisas.

— Tenho a impressão de que essa moça deve ter vindo de Londres — disse o chefe de polícia, pensativo. — Não pense em descobrir pistas locais. De qualquer maneira, acho que deveríamos recorrer à Scotland Yard. E um caso para eles e não para nós.

— Alguma coisa, porém, deve tê-la trazido aqui — disse Slack, conjecturando. — Tenho para mim que o coronel e a sra. Bantry devem saber de alguma coisa. É claro, eu sei que são amigos seus, chefe...

O coronel Melchett lançou-lhe um olhar frio e lhe disse secamente:

— Esteja certo de que estou considerando todas as possibilidades. *Todas*. — E continuou: — O senhor deu uma olhadela na lista de pessoas desaparecidas?

Slack assentiu com a cabeça e apresentou uma folha de papel datilografada.

— Aqui está, a sra. Saunders, dada como desaparecida há uma semana. Cabelos escuros, olhos azuis, 36 anos. Não é ela e, além disso, todo mundo sabe, menos seu marido, que ela fugiu com um comerciante de Leeds. A sra. Barnard, 65 anos. Pamela Reeves, 16 anos, desaparecida de casa na noite passada, esteve num torneio de tênis, tem cabelos castanhos, usa tranças, 1,67m de altura e...

— Deixe de detalhes idiotas, Slack — disse Melchett irritado. — A moça não tem nada de colegial. Na minha opinião...

Melchett foi interrompido pelo telefone.

— Alô... sim, sim, é da chefia de polícia de Much Benham... Como? Espere um momento...

Melchett ouvia e escrevia rapidamente. Em seguida, falou de novo, com uma nova tonalidade de voz:

— Ruby Keene, 18 anos, dançarina profissional, 1,60m, magra, cabelos louros platinados, olhos azuis, nariz arrebitado, devia estar usando um vestido toalete branco brilhante e sandálias prateadas. Certo? O quê? Sim, não há dúvida. Mandarei Slack aí imediatamente.

O chefe de polícia desligou o telefone o olhou seu subordinado com crescente excitação.

—Temos uma pista, acho. Foi da polícia de Glenshire (Glenshire era o município vizinho). Deram queixa do desaparecimento de uma jovem lá do Majestic Hotel, em Danemouth.

— Danemouth — disse o inspetor Slack. — É bem possível.

Danemouth era um grande e moderno balneário litorâneo, não muito longe dali.

— Está mais ou menos a trinta quilômetros daqui — disse o chefe de polícia. — A moça era dançarina ou coisa que valha, no Majestic. Não se apresentou para o seu número na noite passada e a gerência ficou preocupada. Hoje, pela manhã, continuando ainda desaparecida, alguém, uma das outras moças talvez, espalhou a notícia. Isso parece um bocado obscuro. Seria melhor você ir imediatamente a Danemouth, Slack. Apresente-se ali ao inspetor Harper e colabore com ele.

II

Entrar em ação era do que o inspetor Slack gostava. Sair correndo num carro, fazer calar rudemente as pessoas que estivessem ansiosas para lhe contar coisas, interromper conversas a pretexto de necessidade urgente, tudo isso significava vida para Slack.

Por conseguinte, em tempo incrivelmente curto, chegou a Danemouth, apresentou-se à chefia de polícia, teve uma breve entrevista com um apreensivo e distraído gerente de hotel, e, deixando-o com o conforto duvidoso de primeiro descobrir se era realmente a moça antes de começar as investigações, partiu de volta a Much Benham na companhia de uma parente próxima de Ruby Keene.

Tinha-se comunicado rapidamente com Much Benham antes de sair de Danemouth, de modo que o chefe de polícia estava preparado para recebê-lo, embora não estivesse para a breve apresentação.

— Esta é Josie, chefe.

O coronel Melchett olhou seu subordinado friamente. Dava a impressão de que Slack tinha perdido o bom senso.

A jovem, que acabava de sair do carro, veio em seu socorro.

— É que sou conhecida profissionalmente — explicou ela, mostrando momentaneamente seus dentes muito brancos e bonitos. — Raymond e Josie, assim nos chamamos, eu e meu companheiro. Todo o hotel me conhece como Josie. Meu nome verdadeiro é Josephine Turner.

O coronel Melchett ajustou-se à situação e convidou a srta. Turner a se sentar, examinando-a, de relance, com um olhar de profissional.

Era uma jovem simpática, de mais de vinte anos e menos de trinta. Sua beleza se devia mais a adornos bem-utilizados do que a dotes naturais. Parecia competente, calma e de muito bom senso. Não era o tipo que se pudesse chamar de glamourosa mas, no entanto, era muito atraente. Pintava-se discretamente e usava um traje escuro. Embora parecesse ansiosa e sobressaltada, na realidade, concluiu o coronel, não estava especialmente pesarosa.

— Parece terrível demais para ser verdade — disse ela ao se sentar. — Acha que realmente seja Ruby?

— Sinto muito, mas é exatamente isso que nós queremos lhe perguntar. Lamento que possa ser desagradável para a senhora.

— Ela está... está muito horrível? — perguntou a srta. Turner apreensiva.

— Bem, tenho receio de que isso possa chocá-la. Melchett lhe ofereceu seu maço de cigarros, Josie tirou um e agradeceu.

— Quer que eu vá vê-la agora mesmo?

—Acho que seria bom, srta. Turner. Não seria muito conveniente fazer perguntas antes de nos certificarmos. É melhor resolver logo.

— Certo.

Desceram ao necrotério.

— É Ruby mesmo, não há dúvida — disse ela com um calafrio. — Pobre menina! Santo Deus, parece que estou tonta. Os senhores não têm um pouco de gim por aí? — perguntou, correndo a vista pela sala.

Não havia gim mas conhaque. Após tomar uns goles, a srta. Turner recobrou a calma.

— Choca a gente ver uma coisa dessas, não é? — perguntou ela francamente. — Pobrezinha da Ruby! Como os homens são imundos!

— A senhora acha que foi um homem?

Josie foi apanhada um tanto de surpresa.

— Não foi? Bem, quero dizer... claro que eu pensei...

— A senhorita teria pensado especialmente em algum homem?

Ela meneou a cabeça vigorosamente.

— Não, eu não. Não tenho a menor ideia. É claro que Ruby não faria segredo para mim se...

— Se o quê?

Josie hesitou.

— Bem, se ela fosse sair com alguém.

Melchett lançou-lhe um olhar penetrante. Não disse mais nada até chegar ao escritório. Então começou:

— Srta. Turner, preciso de toda informação que puder me dar.

— Perfeitamente. Por onde devo começar?

— Gostaria de ter o nome e endereço completos, seu parentesco com ela e tudo que souber a respeito.

Josephine Turner assentiu com a cabeça. Melchett se convenceu mais uma vez de que Josie não estava especialmente sentida. Estava chocada e angustiada e nada mais. Falava com bastante espontaneidade.

— Ela se chamava Ruby Keene... seu nome profissional. Seu nome real era Rosy Legge. Sua mãe era prima da minha. Eu a conheço desde que nasceu, mas não tão profundamente. Acho que o senhor entendeu o que quero dizer. Temos muitos primos. Alguns no comércio, outros no palco. Acho que Ruby estava estudando para ser bailarina. Ela teve bons contratos no ano passado em teatros de revista e coisa do gênero. Não eram companhias muito chiques mas eram boas companhias de província. Desde então, esteve contratada como par de dança no Palais de

Danse em Brixwell, no sul de Londres. É um lugar respeitável, cuidam bem das moças, mas pagam muito mal.

Fez uma pausa. O coronel Melchett assentiu com a cabeça.

— E é aí que eu entro na história. Há três anos sou recepcionista dos salões de bridge e de dança no Majestic, em Danemouth. É um bom emprego, agradável e bem-pago. Quando alguém chega, cuido para deixá-lo à vontade. Claro que é preciso avaliar primeiro. Há pessoas que preferem ficar sozinhas, mas outras não gostam e querem alguém para pô-las por dentro das coisas por lá. Procuramos reunir as pessoas certas para o jogo e tudo o mais, e fazer com que dancem. É preciso um bocado de sensibilidade e de experiência.

Melchett tornou a assentir com a cabeça. Ele achava que aquela moça devia desempenhar bem suas funções; tinha maneiras agradáveis, simpáticas, inteligentes sem serem intelectuais.

— Além disso — continuou Josie —, eu faço umas duas apresentações por noite com Raymond. Raymond Starr, professor de tênis e de dança. Bem, acontece que neste verão eu escorreguei um dia nas pedras me banhando e torci o tornozelo.

Melchett tinha observado que ela caminhava mancando um pouco.

— É claro que não pude dançar durante algum tempo e isso era horrível. Eu não queria que o hotel arranjasse alguém para me substituir. Isso é sempre perigoso. — Por alguns instantes seus olhos azuis e serenos tornaram-se duros e penetrantes: era a fêmea lutando por sua subsistência. — Isso pode tirar você da jogada. Por isso pensei em Ruby e pedi ao gerente para trazê-la. Eu ficaria encarregada das funções de recepcionista e tomaria conta da sala de jogo e de tudo o mais. Ruby se encarregaria da dança. Ficaria tudo em família, o senhor sabe o que quero dizer.

Melchett disse que sim.

— Bem, eles concordaram, eu contatei a Ruby e ela veio. Era uma oportunidade para ela. Coisa de muito mais classe do que tudo o que ela já fez. Isso foi há um mês.

— Compreendo. E teve sucesso? — perguntou o coronel Melchett.

— Oh, sim — disse Josie despreocupada —, ela se saía muito bem. Não dançava tão bem como eu, mas Raymond é inteligente e a conduzia. E ela era muito simpática, esbelta, bonita, um rostinho infantil. Exagerava um pouco na pintura e eu sempre chamava a atenção dela por causa disso. Mas o senhor sabe como são as moças. Tinha apenas 18 anos e nessa idade todo mundo exagera as coisas. Mas isso não convinha a um lugar de classe como o Majestic. Quase sempre tinha de chamá-la a parte e fazê-la diminuir a pintura.

— Todos gostavam dela? — perguntou Melchett.

— Oh, sim. Mas olhe. Ruby quase não falava. Era um bocado calada. Dava-se melhor com homens mais idosos do que com jovens.

— Tinha algum amigo especial?

Os olhos da moça encararam os do coronel Melchett expressando perfeita compreensão da pergunta.

— Não no sentido em que o *senhor* quer dizer. Ou pelo menos eu não sabia de nada. Nesse caso ela não teria me dito.

Melchett refletiu por alguns instantes por que não — Josie não dava a impressão de ser uma disciplinadora severa. Mas disse apenas:

— A senhorita poderia descrever agora a última vez que viu sua prima.

— Na noite passada. Ela e Raymond fizeram duas apresentações, uma às dez e outra à meia-noite. Terminariam à uma hora. Depois disso, vi Ruby dançando com um dos jovens hospedados no hotel. Eu estava jogando cartas no salão. Há um grande painel de vidro entre a sala e o salão de baile. Foi a última vez que a vi. Logo depois da meia--noite, Raymond apareceu apreensivo, perguntando onde estava Ruby, que não tinha aparecido, e já estava na hora de começar. *Fiquei* embaraçada, acredite! É o tipo da coisa idiota que as moças fazem, aborrecendo os patrões, que então as põem na rua. Fui com ele ao quarto de Ruby mas ela não estava lá. Observei que havia trocado de roupa. O vestido de dança, um vestido cor-de-rosa, volumoso, com saia larga, estava em cima de uma cadeira. Ela, geralmente, ficava com o mesmo vestido, a menos que se tratasse de um número especial, como na noite de quarta-feira. Eu não tinha nenhuma ideia de para onde teria ido. Pedimos à orquestra que tocasse mais um *foxtrot* e nada de Ruby aparecer. Eu, então, disse a Raymond que iria dançar com ele. Escolhemos um número fácil e curto, que não machucasse meu tornozelo, mas mesmo assim meu tornozelo amanheceu todo inchado. Ruby não tinha aparecido ainda. Ficamos esperando por ela até às duas horas. Fiquei furiosa com ela.

Sua voz tremia ligeiramente. Melchett percebeu um que de raiva no tom. Ficou refletindo por alguns instantes. A reação lhe pareceu um pouco mais intensa do que seria de esperar... Teve a impressão de que alguma coisa estava sendo deliberadamente ocultada.

— E esta manhã, quando Ruby Keene não voltou e sua cama continuou intacta, a senhorita procurou a polícia?

Melchett sabia, pelo telefonema de Slack, de Danemouth, que não fora ela quem chamara a polícia. Mas queria saber o que Josephine Turner diria.

Ela não hesitou; respondeu logo.

— Não, não procurei.

— Por que não, srta. Turner?

Seus olhos o encararam francamente.

— O *senhor* no meu lugar não o faria! — disse ela.

— Acha que não?

— Tinha de pensar no meu emprego. Uma coisa de que um hotel não gosta é escândalo, ainda mais envolvendo a polícia. Não achava que algum mal tivesse acontecido a Ruby. Em nenhum instante imaginei uma coisa dessas. Pensava que tivesse perdido a cabeça por algum jovem; que apareceria logo e eu iria dizer-lhe umas boas quando chegasse! As meninas de 18 anos são tão irresponsáveis.

Melchett deu a impressão de estar consultando suas anotações.

— Ah, sim, segundo consta foi o sr. Jefferson que procurou a polícia. É um dos hóspedes do hotel?

Josephine Turner respondeu laconicamente.

— Sim.

— O que levou o sr. Jefferson a tomar essa atitude? — perguntou o coronel Melchett.

Josie alisava o punho da jaqueta. Sua postura passava um pouco de constrangimento. Mais uma vez o coronel Melchett teve a impressão de que escondia alguma coisa.

— É um inválido — disse ela sombriamente. — Assusta-se facilmente. Quero dizer; por ser inválido.

Melchett passou adiante e perguntou:

— Quem era o jovem com quem você viu sua prima dançando por último na noite passada?

— Chama-se Bartlett. Está hospedado no hotel há dez dias.

— Estavam namorando?

— Não propriamente. Pelo menos que eu soubesse.

Melchett notou mais uma vez um tom de raiva em sua voz.

— O que diz ele?

— Disse que, depois da dança, Ruby subiu para retocar a maquiagem.

— Foi quando trocou de roupa?

— Suponho que sim.

— Foi a última notícia que teve dela? Depois disso ela...

— Desapareceu — disse Josie. — É tudo.

— A srta. Keene conhecia alguém em St. Mary Mead? Ou na vizinhança?

— Não sei. Pode ter conhecido. O senhor sabe, vêm jovens de toda parte para o Majestic, em Danemouth. Não é possível saber onde moram, a menos que mencionem qualquer coisa.

— Você ouviu alguma vez sua prima se referir a Gossington?

— Gossington?

Josie mostrou-se evidentemente intrigada.

— Gossington Hall.

Ela meneou a cabeça.

— Nunca ouvi falar nesse lugar.

Havia uma nota de convicção no tom de voz, assim como de curiosidade.

— Gossington Hall — explicou o coronel Melchett — é o lugar onde foi encontrado o corpo de Ruby.

— Gossington Hall? — Josie arregalou os olhos — Que estranho!

Melchett disse para si mesmo: "Estranho é bem a palavra" e, depois, em voz alta:

— A senhorita conhece um coronel ou uma sra. Bantry?

Mais uma vez Josie meneou a cabeça.

— Ou um sr. Basil Blake?

Ela franziu ligeiramente os sobrolhos.

— Acho que já ouvi este nome. Sim, tenho certeza, mas não me lembro de nada a respeito dele.

O diligente inspetor Slack estendeu a seu superior uma folha arrancada de sua caderneta de anotações, onde se liam os seguintes dizeres escritos a lápis:

O coronel Bantry jantou no Majestic na semana passada.

Melchett levantou a vista e encontrou o olhar de Slack. O chefe de polícia corou. Slack era um policial industrioso e ativo, mas Melchett não gostava dele. Só que não podia ignorar o desafio. O inspetor estava acusando-o tacitamente de favorecer sua própria classe. De apadrinhar um "velho amigo".

— Srta. Turner — disse, voltando-se para Josephine Turner —, se importa de me acompanhar a Gossington Hall?

O olhar de Melchett, frio e desafiador, quase ignorando o murmúrio de assentimento de Josie, encontrou-se com o de Slack.

Capítulo 4

I

Havia muito tempo St. Mary Mead não tinha uma manhã tão movimentada como aquela.

A srta. Wetherby, solteirona impertinente, de nariz comprido, foi a primeira a espalhar a notícia inebriante. Entrou toda afobada na casa de sua amiga e vizinha, a srta. Hartwell.

— Perdoe-me vir aqui tão cedo, querida, mas pensei que talvez você não soubesse da *notícia*.

— Que notícia? — perguntou a srta. Hartwell.

A srta. Hartwell tinha um timbre de voz muito baixo e visitava os pobres infatigavelmente, por mais que eles procurassem evitar seu auxílio.

— Sobre o cadáver na biblioteca do coronel Bantry... o cadáver de uma *mulher...*

— Na *biblioteca* do coronel Bantry?

— Sim. Não é *terrível*?

— E sua *pobre* esposa?

A srta. Hartwell procurou disfarçar seu prazer íntimo e ardente.

— Realmente. Não acho que ela tenha qualquer ideia a respeito. A srta. Hartwell observou em tom de censura:

— Ela vive ocupada demais com o seu jardim e não cuida do marido. É preciso estar sempre de olho nos homens, sempre, sempre — repetia a srta. Hartwell.

— Eu sei, eu sei. É realmente triste.

— Imagino o que Jane Marple vai dizer. Acha que já soube disso? Ela é tão perspicaz nesses casos.

— Jane Marple foi a Gossington.

— O quê? Esta manhã?

— Muito cedo. Antes do café.

— Não diga! Imagino! Bem, a meu ver, isto é levar as coisas longe *demais*. Jane gosta de meter o nariz em tudo. Mas isso não é decente!

— Mas foi a sra. Bantry que mandou buscá-la.

— A sra. Bantry mandou buscá-la?

— Bem, mandou o carro, com Muswell na direção.

— Santo Deus! É muito estranho...

Ficaram caladas por uns dois segundos, digerindo a notícia.

— De quem é o corpo? — perguntou a srta. Hartwell.

— Você conhece aquela mulher horrorosa que anda com Basil Blake?

— Aquela loura de cabelos horrivelmente oxigenados? — A srta. Hartwell estava um tanto atrasada, pois não passara ainda do oxigenado para o platinado. — Aquela que fica deitada no jardim, praticamente nua?

— Sim, minha cara. Lá estava ela... sobre o tapete... *estrangulada!*

— Não me diga, em *Gossington*?

A srta. Wetherby assentiu com uma expressão infinitamente feminina.

— Então, *até* o coronel Bantry...?

A srta. Wetherby assentiu novamente com a cabeça,

— Oh!

Houve uma pausa, enquanto as senhoras saboreavam aquela nota a mais no escândalo da aldeia.

— Que mulher ruim! — exclamou a srta. Hartwell com justa raiva.

— Realmente, era muito devassa.

— E o coronel Bantry... parecia um homem tão quieto...

— Os quietos muitas vezes são os piores, assim afirma Jane Marple — disse a srta. Wetherby picantemente.

II

A sra. Price Ridley estava entre as últimas a saber da notícia. Viúva rica e autoritária, morava numa casa enorme, vizinha à casa paroquial. Sua informante foi sua jovem empregada Clara.

— Você disse uma *mulher*, Clara? *Encontrada morta no tapete do coronel Bantry?*

— Sim. E dizem que estava completamente nua, nuazinha.
— Chega, Clara. Não precisa dar detalhes.
— Está bem. Dizem que primeiro acharam que era a mulher que anda com o sr. Blake... Aquela que vem passar fins de semana com ele na casa nova do sr. Booker. Mas dizem agora que é uma mulher inteiramente estranha. E o rapaz do peixeiro diz, que nunca pensou que o coronel Bantry fosse capaz disso... logo ele que faz a coleta no culto dominical.
— Há muita maldade neste mundo, Clara — disse a sra. Price Ridley. — Que lhe sirva de exemplo.
— Sim, senhora. Minha mãe nunca me deixará empregar-me numa casa onde haja um homem.
— Ela está certa, Clara — disse a sra. Price Ridley.

III

Da casa da sra. Price Ridley para a casa paroquial era um pulo.

A sra. Price Ridley teve sorte de encontrar o pastor em seu escritório.

O pastor, um senhor gentil, de idade madura, era sempre o último a saber de qualquer coisa.

— Que coisa *horrível* — disse a sra. Price Ridley, um pouco ofegante, porque tinha caminhado depressa demais. — Achei que devia pedir sua opinião, seu conselho.

O sr. Clement mostrou-se um pouco alarmado.

— Aconteceu alguma coisa? — perguntou.

— Se *aconteceu* alguma coisa? — a sra. Price Ridley repeliu a pergunta dramaticamente. — Um escândalo horroroso! Ninguém poderia imaginar isso. Uma mulher devassa, completamente despida, estrangulada na casa do coronel Bantry.

O pastor arregalou os olhos.

— A senhora... a senhora está se sentindo bem? — perguntou.

— Não admira que o senhor não possa acreditar. Eu também no início não pude. A hipocrisia do coronel. Durante todos esses anos!

— Conte-me, por favor, tudo que aconteceu.

A sra. Price Ridley mergulhou numa narrativa pormenorizada. Quando terminou, o pastor Clement perguntou-lhe calmamente:

— Mas nada indica que o coronel Bantry esteja envolvido, não é?

— Oh, meu caro pastor, como o senhor é ingênuo! Preciso contar-lhe uma historiazinha. Na quinta-feira passada... ou foi na outra quinta-feira? Bem, não importa. Eu ia a Londres pelo trem diurno, o mais barato. O coronel Bantry estava no mesmo carro. Tive a impressão de que estava muito distraído. E durante quase todo o trajeto enterrou-se atrás do *The Times*. Pelo visto, não queria conversa.

O pastor assentiu com muita compreensão e possível simpatia.

— Em Paddington, eu me despedi dele. Ofereceu-se para chamar um táxi mas eu ia tomar um ônibus para a Oxford Street; ele entrou num carro e o escutei dizendo claramente ao motorista para ir, *sabe para onde*?

O pastor parecia intrigado.

— Para um endereço em St. John's Wood!

A sra. Price Ridley fez uma pausa, triunfante.

O pastor continuava completamente sem compreender.

— Acho que isso *prova* tudo — disse a sra. Price Ridley.

IV

Em Gossington, sentadas na sala de estar, a sra. Bantry e Miss Marple conversavam.

— Sabe — disse a sra. Bantry —, sinto-me feliz, por terem levado o corpo. Não é nada *agradável* ter um cadáver em casa. Miss Marple assentiu com a cabeça.

— Eu sei, minha cara. Sei como se sente.

— Não, você não pode fazer ideia — disse a sra. Bantry —, até que isso aconteça em sua casa. Sei que uma vez quase teve um cadáver por lá, mas não é a mesma coisa. Só espero — continuou — que Arthur não tome antipatia pela biblioteca. Gostamos tanto de ficar ali. Que vai fazer, Jane?

Miss Marple, olhando o relógio, pôs-se de pé:

— Bem, estava pensando em ir para casa. Ou posso ser útil em mais alguma coisa?

— Não vá ainda — pediu a sra. Bantry. — Os datiloscopistas e os fotógrafos e quase todos os da polícia já se foram, eu sei, mas tenho a impressão de que alguma coisa ainda pode acontecer. Acho que você não deve perder nada.

O telefone tocou e ela foi atender, voltando, em seguida, com uma expressão radiante.

— Não disse? Era o coronel Melchett. Estão trazendo para aqui a prima da pobre moça.

— Por que seria? — perguntou Miss Marple curiosa.

— Oh, deve ser para ver onde tudo aconteceu e tudo o mais.

— Creio que mais do que isso — disse Miss Marple.

— Que quer dizer, Jane?

— Bem, acho, quem sabe, que poderiam querer acareá-la com o coronel Bantry.

— Para ver se o reconhece? — perguntou a sra. Bantry com veemência. — Ah, acho que devem estar inclinados a suspeitar de Arthur.

— Temo que sim.

— Como se Arthur tivesse alguma coisa a ver com isso.

Miss Marple calou-se. A sra. Bantry voltou-se para ela acusadoramente.

— E não me venha citar o velho general Henderson ou algum velho terrível que andasse com sua criada. Arthur não é gente dessa espécie.

— Não, não, é claro que não.

— Não, não, *realmente* não é. Só de vez em quando se mostra um tanto ridículo com algumas mocinhas bonitas que vêm jogar tênis. Um tanto tolo e solícito demais. Não há nenhum mal nisso. E por que não se comportaria assim? Afinal de contas — concluiu a sra. Bantry, um tanto obscuramente —, eu tenho o meu jardim, não tenho?

Miss Marple sorriu.

— Não se preocupe, Dolly — disse ela.

— Não, não estou preocupada. Mas de qualquer maneira não posso ficar indiferente. Arthur também, isso vai aborrecê-lo. Todos aqueles policiais rondando por aqui. Ele foi ao sítio. Olhar os porcos, essas coisas sempre o aliviam quando fica tenso. Ei-los, estão chegando.

O carro do chefe de polícia freou lá fora. O coronel Melchett entrou acompanhado de uma jovem elegantemente vestida.

— Apresento-lhe a srta. Turner, sra. Bantry. É prima da... vítima.

— Prazer — disse a sra. Bantry, adiantando-se com a mão estendida. Tudo isso deve ser terrível para a senhora.

— Oh, sim — disse francamente a srta. Josephine Turner. Parece tudo *irreal*, como se fosse um pesadelo.

A sra. Bantry apresentou Miss Marple.

— Seu marido está? — perguntou Melchett casualmente.

— Foi a uma de suas propriedades. Não vai demorar-se.

— Oh... — Melchett pareceu embaraçado.

— A senhorita gostaria de ver onde... onde aconteceu? Ou preferiria não ver? — perguntou a sra. Bantry a Josie.

— Acho que quero ver — respondeu Josephine depois de uma pequena pausa.

A sra. Bantry a conduziu à biblioteca, seguida de Melchett e de Miss Marple.

— Ela estava ali — disse a sra. Bantry, apontando dramaticamente para o tapete.

— Oh! — Josie estremeceu, mas ao mesmo tempo parecia perplexa. — Só que não posso compreender. *Não posso* — disse ela com a testa franzida.

— *Nós* tampouco — disse a sra. Bantry.

— Não é a espécie de lugar... — ia dizendo Josie, mas de repente parou.

Miss Marple assentiu gentilmente com a cabeça, expressando sua solidariedade com o sentimento inacabado.

— É isso — murmurou ela — que torna tudo muito curioso.

— Então, Miss Marple — perguntou o coronel Melchett de bom humor —, conseguiu alguma explicação?

— Oh, sim, já tenho uma *explicação* — respondeu —, uma explicação muito plausível. Mas é apenas *uma ideia*. Tummy Bond — continuou — e a sra. Martin, nossa nova professora. Ela foi dar corda no relógio e do relógio pulou uma rã.

Josephine Turner ficou perplexa. Ao sair da biblioteca, murmurou para a sra. Bantry:

— Sua amiga é meio maluca, não é?

— De modo algum — respondeu a sra. Bantry indignada.

— Desculpe-me — disse Josie. — Achei que talvez pensasse que *ela* fosse uma rã ou coisa semelhante.

O coronel Bantry acabava de entrar pela porta lateral. Melchett o chamou e observou Josephine Turner quando apresentou-os um ao outro. Mas ela não mostrou nenhum indício de interesse ou de reconhecimento em sua expressão. Melchett deu um suspiro de alívio. Maldito Slack com suas insinuações!

Respondendo a perguntas da sra. Bantry, Josie contou toda a história do desaparecimento de Ruby Keene.

— Que coisa horrível para você, minha cara — disse a sra. Bantry.

— Eu estava mais zangada do que preocupada — disse Josie. — Não sabia até agora que lhe tivesse acontecido alguma coisa.

— E, no entanto— disse Miss Marple —, a senhora foi procurar a polícia. Desculpe-me mas não acha que foi um pouco *precipitado*?

— Oh, não, não fui eu. Foi o sr. Jefferson... — respondeu a srta. Josephine Turner com veemência.

— Jefferson? — perguntou a sra. Bantry.

— Sim, um inválido.

— Seria Conway Jefferson? Eu o conheço muito bem. É um velho amigo nosso. Escute, Arthur, Conway Jefferson. Está hospedado no Majestic e foi ele quem chamou a polícia! Não é uma coincidência?

— O sr. Jefferson esteve lá também no verão passado — disse Josephine Turner.

— Engraçado! E nós não soubemos. Há muito tempo não o vemos. — E voltando-se para Josie: — Como está ele ultimamente?

Josie refletiu.

— Eu o acho realmente maravilhoso, muito simpático mesmo. Tendo em vista as circunstâncias, a senhora me compreende. Está sempre alegre, sempre fazendo brincadeiras.

— A família está com ele?

— A senhora se refere ao sr. Gaskell? E à jovem sra. Jefferson? E a Peter? Oh, sim.

Havia algo que inibia a franqueza natural de Josephine Turner. Ao se referir aos Jefferson, sua voz tornava-se um tanto artificial.

— São todos muito bonitos, não é? Refiro-me aos jovens.

— Oh, sim, realmente. Eu... nós... sim, são *realmente* bonitos.

V

— O que queria dizer com aquele *realmente*? — perguntava a sra. Bantry ao olhar pela janela o carro do chefe de polícia que se afastava. —Você não acha, Jane, que há algo...

Miss Marple não esperou que ela terminasse a frase.

— Sem dúvida alguma. Não há *possibilidade* de erro. Sua atitude mudou *imediatamente* quando os Jefferson foram mencionados. Até então parecia muito espontânea.

— Mas que acha que *poderia ser*, Jane?

— Ora, minha cara, *você* os conhece. Tudo que sei é que deve haver algo, como você diz, a respeito dos Jefferson que preocupa a moça. Outra coisa, você notou que quando lhe perguntou se não se afligiu com o desaparecimento da jovem, ela disse que ficou *zangada*? E *parecia* zangada, *realmente* zangada! Isso me pareceu estranho. Tenho a impressão — talvez me engane — de que essa é a sua reação mais forte à morte da jovem. Estou certa de que não se importou com ela. Não está abalada de modo algum. Mas acho que a lembrança da moça, Ruby Keene, acende sua *ira*. E aí está o ponto interessante: *por quê?*

— Descobriremos! — disse a sra. Bantry. — iremos a Danemouth e nos hospedaremos no Majestic. — Sim, você também, Jane. Preciso me recuperar depois de tudo que aconteceu aqui. Uns dias no Majestic é do que estamos precisando. E você conhecerá Conway Jefferson. É muito simpático, um perfeito cavalheiro. É a história mais triste que se possa imaginar. Ele tinha um filho e uma filha, que adorava. Eram ambos casados, mas ainda assim passavam grande parte do tempo com eles. Sua esposa, também, era uma criatura adorável e ele lhe era muito dedicado. De volta de uma viagem à França, o avião em que viajavam sofreu um acidente e morreram todos: o piloto, a sra. Jefferson, Rosamund e Frank. Conway teve as pernas fraturadas e com tal gravidade que foi obrigado a amputá-las. Mas foi maravilhoso, com sua coragem e resignação! Era um homem muito ativo e agora é um aleijado irrecuperável, mas nunca se queixa. Sua nora reside com ele. Era viúva quando Frank Jefferson a desposou e tinha um filho de suas primeiras núpcias — Peter Carmody. Moram ambos com Conway. E Mark Gaskell, o viúvo de Rosamund, passa ali a maior parte do tempo. Enfim, foi tudo uma terrível tragédia.

— E, agora — disse Miss Marple —, há uma outra tragédia...

— Oh, sim, mas nada tem a ver com os Jefferson.

— Não? — questionou Miss Marple. — Foi o sr. Jefferson quem procurou a polícia.

— Realmente, Jane... *é* curioso.

Capítulo 5

I

O coronel Melchett estava diante de um gerente de hotel bastante irritado. Acompanhava-o o inspetor Harper da polícia de Glenshire e o inevitável inspetor Slack, um tanto aborrecido com a usurpação deliberada do caso pelo chefe de polícia.

O inspetor Harper estava disposto a tolerar o sr. Prestcott quase choroso, enquanto o coronel Melchett tendia para uma moderada rudeza.

— Não adianta chorar sobre o leite derramado — disse rispidamente. — A moça está morta, estrangulada. Vocês tiveram sorte de ela não ter sido estrangulada no hotel. Isso leva o inquérito para outro município e seu hotel fica quase totalmente excluído. Mas algumas perguntas têm de ser feitas e quanto mais rapidamente nos atender, melhor. Pode estar certo de que seremos discretos e prudentes. Sugiro, portanto, que deixe de tolices e vamos direto aos fatos. O que o senhor sabe exatamente sobre a moça?

— Não sei nada a seu respeito. Absolutamente nada. Foi Josie quem a trouxe para cá.

— Há quanto tempo Josie trabalha aqui?

— Há dois anos... não, três.

— O senhor gosta dela?

— Gosto, é uma boa menina. Uma menina excelente. Competente. Compreende as pessoas e sabe acalmá-las. O bridge, o senhor sabe, é o tipo de jogo que irrita.

O coronel Melchett assentiu demonstrando compreensão. Sua esposa gostava muito de bridge, mas era uma péssima jogadora.

— Josie — continuou o sr. Prestcott — sabe conter os insatisfeitos. Sabe tratar as pessoas. É inteligente e firme, acho que o senhor entende o que quero dizer.

Melchett mais uma vez fez um gesto positivo com a cabeça. Ele sabia agora o que lhe lembrava a srta. Josephine

Turner. Apesar da pintura e de suas roupas, havia nela um tipo característico da governanta.

— Eu confio nela — continuou o sr. Prestcott, assumindo um tom de lamentação. — Que diabo tinha ela de ir brincar sobre rochas escorregadias? Temos aqui uma linda praia. Por que não foi banhar-se nela? Para escorregar, cair e torcer o tornozelo. Não foi correta comigo. Pago-lhe para dançar, jogar bridge e manter os fregueses alegres e felizes, mas não para ir tomar banho fora e torcer o tornozelo. Quem dança deve ter cuidado com os tornozelos. Precisa evitar riscos. Fiquei muito aborrecido com isso. Não foi correta com o hotel.

Melchett interrompeu a narração.

— E então ela sugeriu a vinda daquela moça, sua prima? Prestcott concordou relutante.

— Exato. Pareceu-me uma boa ideia. Notem bem, eu não ia ter despesa alguma. Daríamos a estadia; mas, quanto a salários, era assunto para ser resolvido entre ela e Josie. Foi assim que ficou acertado. Não sei nada sobre a jovem.

— Tudo ia bem com ela?

— Oh, sim, não observava nada de anormal, pelo menos, na aparência. Era muito jovem, e claro, talvez um pouco vulgar para um lugar desta espécie, mas de boas maneiras. Comportava-se realmente muito bem. Dançava bem. As pessoas gostavam dela.

— Era bonita?

A julgar pela cara sombria e inchada do gerente, a pergunta parecia de difícil resposta. Prestcott refletiu.

— Mais ou menos. Bastante artificial, se compreende o que quero dizer. Não seria tanto sem a pintura. Ela procurava, por assim dizer, fazer tudo para se tornar atraente.

— Era muito assediada, por jovens?

— Eu sei aonde o senhor quer chegar — disse o sr. Prestcott agora excitado. — Nunca vi nada, nada de especial. Um ou dois rapazes se aproximaram, por assim dizer. Mas somente coisa que acontece no trabalho. Nada na linha de estrangulamento, eu diria. Ela se dava também com pessoas mais velhas, que gostavam de conversar com ela. Parecia uma criança, se me compreende. Isso os distraia.

O inspetor Harper disse num tom de voz profundo e melancólico:

— O sr. Jefferson, por exemplo.

O gerente concordou com um gesto de cabeça.

— Sim, o sr. Jefferson era quem eu tinha em mente. Ela gostava muito de sentar-se com ele e sua família. O sr. Jefferson costumava levá-la para passear de vez em quando. Ele adora pessoas jovens e é muito bom para elas. Não quero ser mal-interpretado. O sr. Jefferson é deficiente físico; portanto, seu campo de ação é muito limitado, isto é, só até onde sua cadeira de rodas pode levá-lo. Mas está sempre apreciando os jovens se divertirem — assiste às partidas de tênis, aos banhos e a tudo o mais, e dá festas para os jovens daqui. Ele gosta da juventude e não é homem de rabugices, como seria de esperar. Em suma, é um senhor muito popular, uma excelente pessoa.

— Teria algum favoritismo por Ruby Keene? — perguntou Melchett.

— A conversa dela o distraía muito.

— Seus familiares também gostavam dela?

— Pelo menos eram sempre muito amáveis com ela.

— Foi o sr. Jefferson quem comunicou à polícia seu desaparecimento, não foi? — perguntou Harper.

Ele procurou dar às suas palavras um tom de uma conversa a que o gerente prontamente reagiu.

— Ponha-se no meu lugar, sr. Harper. Nem por um minuto pensei que houvesse alguma coisa errada. O sr. Jefferson veio ao meu escritório, esbravejando, e aí os fatos começaram a se agravar. A moça não dormira no quarto. Não tinha aparecido para dançar na noite anterior. Poderia ter saído para um passeio de carro e talvez tivesse sofrido um acidente. A polícia precisava ser informada imediatamente. Abrir inquéritos! Ele estava muito agitado e irascível. E dali discou para a polícia.

— Sem consultar a srta. Turner?

— Josie não gostou muito disso, conforme observei, ela estava bastante aborrecida com tudo aquilo, quero dizer, aborrecida com Ruby. Mas o que poderia dizer?
— Não acha, Harper, que seria bom conversarmos com o sr. Jefferson?
O inspetor Harper concordou.

II

O sr. Prestcott os acompanhou ao apartamento de Conway Jefferson. Era uma suíte no primeiro andar, de frente para o mar.
— O ricaço se cuida muito bem, não é? — comentou Melchett casualmente.
— Realmente, cuida-se muito bem. Não se economiza nada quando ele está aqui. Os melhores quartos ficam reservados, alimentação *à la carte*, vinhos caros, tudo do melhor.
Melchett assentiu com a cabeça.
Prestcott bateu na porta da frente e se ouviu uma voz feminina que respondeu:
— Entre.
O gerente entrou, seguido dos policiais.
A atitude do sr. Prestcott era de quem pede desculpas, ao falar com a mulher que voltou a cabeça para as visitas, sentada junto à janela.
— Perdoe-me o incômodo, sra. Jefferson, mas estes senhores são... da polícia. Eles gostariam de ter uma palavrinha com o sr. Jefferson. Coronel Melchett, o inspetor Harper e o inspetor Slack, sra. Jefferson.
Ela correspondeu à apresentação com inclinação da cabeça.
"Uma mulher comum", foi a primeira impressão de Melchett. Mas, depois, quando aflorou um sorriso em seus lábios femininos, e ela falou, mudou de opinião. Tinha uma voz agradável e cativante, e lindos olhos castanhos-claros.

Vestia-se de maneira simples, mas não chegava a se vestir mal e, pela aparência, devia ter 35 anos.

— Meu sogro está dormindo — disse ela. — Não é muito forte e todo esse negócio chocou-o terrivelmente. Tivemos de chamar o médico, que lhe aplicou um sedativo. Logo que acordar, estou certa de que quererá atender os senhores. Enquanto isso, poderia eu mesma ajudá-los? Querem sentar-se?

Prestcott, ansioso para escapar, disse ao coronel Melchett:

— Bem... ainda posso ser útil em mais alguma coisa?

Agradecido, recebeu a permissão para sair.

Ao bater a porta atrás de si, o ambiente tornou-se mais alegre e social. Adelaide Jefferson tinha o poder de criar uma atmosfera repousante. Era uma mulher que não dizia nada de extraordinário, mas tinha a capacidade de estimular os outros a conversar e deixá-los à vontade. Ela foi direto à questão quando disse:

— Ficamos todos muito chocados com o acontecimento. Convivíamos muito com a moça. Parece incrível. Meu sogro está horrivelmente abalado. Ele gostava muito de Ruby.

— Segundo me consta, foi o sr. Jefferson quem comunicou à polícia o desaparecimento da jovem, não foi? — perguntou o coronel Melchett.

Ele queria ver exatamente como ela reagiria à pergunta. Haveria um indício, mesmo que apenas um indício, de mal-estar? De preocupação? Melchett não podia saber exatamente, mas havia algo, e lhe pareceu que a sra. Jefferson tivera de se concentrar, antes de prosseguir, como se estivesse diante de uma difícil tarefa.

— Sim — respondeu —, foi ele. Por ser inválido, assusta-se com tudo e se preocupa facilmente. Procuramos persuadi-lo de que tudo estava bem, que haveria alguma explicação natural e que a própria moça não iria gostar se a polícia fosse notificada. Ele insistiu e, no fim — fez um pequeno gesto —, ele e não nós, era quem estava com a razão.

— Queira explicar-nos, sra. Jefferson, como exatamente foi que ficou conhecendo Ruby — pediu Melchett.

Adelaide Jefferson refletiu.

— É difícil dizer. Meu sogro gosta muito de jovens e adora viver cercado deles. Ruby era um tipo novo para o sr. Jefferson. Ele se divertia muito com as conversas dela. Ruby sentava-se frequentemente conosco no hotel e meu sogro a levava de vez em quando para passeios de carro.

Sua voz era muito cautelosa. "Ela bem que poderia dizer mais, se quisesse", refletiu Melchett.

— A senhora poderia dizer-nos tudo que puder sobre o curso dos acontecimentos na noite passada? — perguntou o coronel Melchett.

— Perfeitamente. Mas acho que há muito pouca coisa que se possa aproveitar. Depois de jantar, Ruby veio ficar conosco no salão. Permaneceu ali mesmo depois de iniciada a dança. Tínhamos programado uma partida de bridge para mais tarde mas estávamos esperando Mark, isto é, Mark Gaskell, meu cunhado. Ele era casado com a filha do sr. Jefferson. Tinha algumas cartas importantes para escrever. Tivemos também de esperar por Josie, que viria completar o quarteto conosco.

— Isso acontecia frequentemente?

— Muito frequentemente. É uma jogadora de primeira categoria, e muito simpática. Meu cunhado é um aficionado do bridge e sempre que possível convida Josie para completar o quarteto, em vez de jogar com estranhos. É claro que, sendo encarregada de formar os pares, nem sempre pode vir jogar conosco. Mas, sempre que pode, vem. E — seus olhos brilharam maliciosamente — como meu sogro gasta muito dinheiro no hotel, o gerente aprecia muito a preferência de Josie por nós.

— A senhora gosta de Josie? — perguntou Melchett.

— Oh, sim, gosto. Está sempre bem-humorada e alegre, trabalha muito e parece gostar de seu serviço. É inteligente, embora não tenha muita cultura e, bem... não é pretensiosa. É natural e espontânea.

— Queira continuar, sra. Jefferson.

— Como estava dizendo, Josie estava ocupada formando pares de bridge e Mark escrevendo, de modo que Ruby ficou conversando conosco mais do que de costume. Depois Josie chegou e Ruby saiu para apresentar o seu primeiro número de dança com Raymond, o instrutor de tênis e de dança. Voltou a estar conosco logo depois que Mark chegou. Em seguida, saiu para dançar com um jovem e começamos nossa partida de bridge.

A sra. Jefferson fez uma pausa seguida de um pequeno gesto de desânimo.

— Bem, é tudo que sei. Depois cheguei a vê-la uma vez, de relance, a dançar, mas o bridge é um jogo envolvente e quase não olhava pelo vidro que nos separava do salão de baile. À meia-noite, apareceu Raymond, muito nervoso, a perguntar a Josie onde estava Ruby. Josie, naturalmente, procurou acalmá-lo, mas...

O inspetor Harper a interrompeu.

— Por que *naturalmente*, sra. Jefferson?

— Bem — ela hesitou, parecendo um pouco desconcertada, pensou Melchett —, Josie não queria que a ausência da moça chamasse muito a atenção. Considerava-se, de certo modo, responsável por ela. Disse que Ruby possivelmente estaria no seu quarto, que a moça lhe havia dito antes que estava com dor de cabeça. Diga-se de passagem, acho que não era verdade. Josie estaria apenas procurando uma desculpa. Raymond saiu e telefonou para o quarto de Ruby mas ninguém atendeu e ele voltou furioso. É um tipo temperamental. Josie saiu com ele, tentando acalmá-lo e, no fim, foi dançar no lugar de Ruby. Foi muita dedicação da parte dela, pois a gente podia ver depois o quanto forçou seu tornozelo. Ela voltou para nossa mesa depois da dança e procurou acalmar o sr. Jefferson, que já estava preocupado. Nós o persuadimos a ir deitar-se, dissemo-lhe que Ruby provavelmente teria saído para uma volta de carro e talvez tivesse furado um pneu. Ele foi deitar-se preocupado e hoje pela manhã levantou-se excitado. — Fez uma pausa. — O resto o senhor já sabe.

— Obrigado, sra. Jefferson. Gostaria agora de lhe perguntar se a senhora teria alguma ideia de quem poderia ter feito isso?

— Nenhuma — disse ela, imediatamente. — Sinto muito, mas nesse ponto não posso ser de nenhuma utilidade.

O coronel Melchett a pressionou.

— A moça nunca lhe contou nada? Nada sobre ciúme? Sobre algum homem que ela temesse? Ou algum homem com quem tivesse intimidade?

A sra. Adelaide Jefferson meneava a cabeça a cada pergunta.

Parecia não haver mais nada que lhes pudesse dizer.

O inspetor sugeriu entrevistar primeiro George Bartlett e depois voltar para ver o sr. Jefferson. O coronel Melchett concordou e os três policiais saíram, com a promessa da sra. Jefferson de os mandar chamar logo que o sr. Jefferson acordasse.

— Uma senhora simpática — disse o coronel ao fechar a porta atrás de si.

— Realmente, muito simpática — concordou o inspetor Harper.

III

George Bartlett era um jovem magro e desengonçado, com um proeminente pomo de adão, que se expressava com imensa dificuldade. Estava de tal modo perturbado que era difícil arrancar dele uma frase calma.

— É horrível, não é? O tipo da coisa que se vê nos jornais de domingo. Mas a gente tem de se convencer de que de fato aconteceu, não é?

— Infelizmente, não há a menor dúvida a respeito, sr. Bartlett — disse o inspetor.

— É claro, não há a menor dúvida. Mas parece tão esquisito. A quilômetros daqui e tudo o mais. Numa casa de campo, não foi? Num município estranho. Criou um bocado de agitação nas vizinhanças, não foi?

O coronel Melchett iniciou o ataque.

— O senhor conhecia bem a vítima, sr. Bartlett?

George Bartlett pareceu alarmado.

— Oh, não, n-ã-o muito bem, senhor. Não, quase não a conhecia, se compreende o que quero dizer. Dancei com ela uma ou duas vezes, para passar tempo, e joguei um pouco de tênis. Sabe como é.

— Teria sido o senhor, acho, a última pessoa que a viu ainda viva na noite passada?

— Acho que sim... Não parece horrível? Quero dizer, estava perfeitamente bem quando a vi, perfeitamente.

— Que horas eram, então, sr. Bartlett?

— Bem, o senhor sabe, nunca me preocupo com a hora. Não era muito tarde, acho que o senhor me compreende.

— O senhor dançou com ela?

— Sim, realmente, dancei. Mas foi nas primeiras horas da noite. Foi exatamente depois de seu número com o instrutor. Devia ser dez, dez e meia ou 11 horas, não tenho certeza.

— Não se preocupe com a hora. Podemos precisar isso. Queira contar-nos exatamente o que aconteceu.

— Bem, nós dançamos, o senhor sabe. Embora eu não saiba dançar muito bem.

— Não interessa muito como o senhor dança, sr. Bartlett.

George Bartlett lançou um olhar espantado para o coronel e gaguejou:

— Não, n-ã-o, acho que não. Bem, como estava dizendo, dançamos para lá e para cá, conversamos, mas Ruby não falava muito e bocejava constantemente. Como eu disse, não danço muito bem e as moças, o senhor sabe, nos evitam. Disse-me que estava com dor de cabeça. Eu sabia aonde ela queria chegar, de modo que a liberei logo, e foi tudo.

— O que ela estava fazendo a última vez que a viu?
— Subia as escadas.
— Não se referiu a estar indo ver alguém? Ou se iria sair de carro? Ou, se teria um encontro?

Bartlett meneou a cabeça.

—A mim não. — E numa expressão um tanto pesarosa, concluiu: — Só sei que me dispensou.

— Como ela estava? Parecia preocupada, distraída ou com alguma coisa em mente?

George Bartlett refletiu. Em seguida, fez um gesto negativo com a cabeça.

— Parecia um pouco aborrecida. Bocejava, como disse. Nada mais.

— E o que é que o senhor fez, sr. Bartlett? — perguntou o coronel Melchett.

— Hein?

— O que é que o senhor fez depois que Ruby Keene o deixou?

George Bartlett olhava-o boquiaberto.

—Vejamos agora... o que foi que eu fiz?

— Estamos esperando que nos conte.

— Sim, sim, é claro. É um bocado difícil lembrar as coisas, não é? Deixa ver. Acho que devo ter ido ao bar e tomado alguma coisa.

— O senhor *foi* ao bar e tomou alguma coisa?

— Exato. *Tomei* uma bebida. Mas não acho que tenha sido logo depois. Tenho a impressão de que fiquei andando por aí, procurando ar fresco. Está muito quente para o outono. Lá fora estava melhor. Sim, foi isso. Caminhei um pouco, depois regressei, tomei uma bebida e voltei ao salão de baile. Não tinha muito a fazer. Observei que — como é o seu nome? — ah, sim, Josie estava dançando de novo. Com o instrutor. Ela estivera na lista de adoentados... torção de tornozelo ou coisa semelhante.

— Isso fixa a hora de seu regresso à meia-noite. O senhor quer convencer-nos de que passou mais de uma hora passeando sem rumo?

— Bem, eu tomei uma bebida, como disse. Eu estava... sim, estava pensando algumas coisas.

Essa declaração foi recebida com mais credulidade do que qualquer outra.

— Em que estava pensando? — perguntou o coronel Melchett asperamente.

— Oh, não sei. Coisas — respondeu Bartlett vagamente.

— O senhor tem carro, sr. Bartlett?

— Oh, sim, tenho um carro.

— Onde estava, na garagem do hotel?

— Não, estava no pátio. Pensei em sair para um passeio.

— E quem sabe o senhor saiu mesmo para um passeio?

— Não, não. Não saí. Juro que não saí.

— O senhor não teria saído, por exemplo, para dar uma volta com a srta. Keene?

— Já disse. Olha aqui, aonde os senhores querem chegar? Não saí. Juro que não saí.

— Obrigado, sr. Bartlett, acho que não há mais nada no momento. *No momento* — repetiu o coronel Melchett com uma forte ênfase nas palavras.

Deixaram Bartlett olhando-os com uma expressão cômica de alarme estampada no rosto simplório.

— Um tolo — disse o coronel Melchett. — Não acha?

O inspetor Harper meneou a cabeça.

— Temos ainda um longo caminho pela frente.

Capítulo 6

I

Nem o porteiro da noite nem o gerente do bar se mostraram muito prestativos. O porteiro da noite lembrava-se de ter discado para o quarto da srta. Keene logo depois da meia-noite e ninguém atender. Não vira o sr. Bartlett saindo do hotel ou voltando. Como a noite estava boa, havia muita gente entrando e saindo. E havia portas laterais no corredor e outra que dava para o saguão principal. Estava certo de que a srta. Keene não saíra pela porta principal, mas, se tivesse vindo de seu quarto, que era no primeiro andar, poderia ter descido por uma escada pegada ao quarto, saído por uma porta, no fim do corredor, que dava para um terraço lateral. Poderia, facilmente, sair sem ser vista. Aquela porta só era fechada às duas horas da manhã, quando terminava a dança.

O gerente do bar lembrava-se de que o sr. Bartlett estivera no bar na noite anterior, mas não podia precisar quando. Mais ou menos umas dez horas, achava. O sr. Bartlett sentava-se encostado à parede e parecia muito melancólico. Não se lembrava quanto tempo tinha ficado ali. Havia muitos hóspedes entrando e saindo do bar. Observara o sr. Bartlett, mas não podia de modo algum determinar a hora.

II

Quando os policiais deixaram o bar, foram abordados por um garoto de mais ou menos nove anos de idade, que logo começou uma conversa animada.

— Os senhores, por acaso, são detetives? Sou Peter Carmody. Foi meu avô, o sr. Jefferson, quem telefonou para a polícia sobre Ruby. Os senhores são da Scotland Yard? Não se importam que eu converse com os senhores, se importam?

O coronel Melchett olhou como se estivesse para cortar a conversa mas o inspetor Harper interveio. Falou de modo benigno e cordial.

— De modo algum, meu filho, isso naturalmente lhe interessa, não é?

— É claro que interessa. Os senhores gostam de contos policiais? Eu gosto. Já li todos e tenho autógrafos de

Dorothy Sayers, de Agatha Christie, de Dickson Can e H.C. Bailey. O assassino vai aparecer nos jornais?

— Sem dúvida — respondeu Harper inflexível.

— Sabe, vou voltar à escola na próxima semana e vou contar a todos os meus colegas que eu a conhecia... que a conhecia de verdade.

— O que é que achava de Ruby?

Peter refletiu.

— Bem, eu não gostava muito dela. Era uma moça boba. Nem mamãe nem tio Mark gostavam muito dela também. Só o vovô. A propósito, vovô queria ver os senhores. Edwards está à procura dos senhores.

O inspetor Harper murmurou encorajadoramente:

— Então sua mãe e seu tio Mark não gostavam muito de Ruby Keene? Por quê?

— Oh, não sei. Ela se intrometia em tudo. E não gostavam de que vovô desse tanta importância a ela. Acho — disse Peter alegremente — que estão felizes por ela ter morrido.

O inspetor Harper olhou para ele pensativo.

— Você os ouviu dizer isso?

— Oh, não exatamente. Tio Mark disse: "Bem, não deixa de ter sido uma solução" e mamãe: "Sim, mas que coisa horrível" e tio Mark disse que não se deve ser hipócrita.

Os policiais trocaram olhares. Naquele momento, um senhor respeitável, de barba bem-feita, convenientemente vestido num *serge* azul, aproximou-se deles.

— Desculpe-me, cavalheiros. Sou o criado do sr. Jefferson. Ele já acordou e mandou-me procurá-los porque está ansioso para falar com os senhores.

Subiram de novo aos aposentos de Conway Jefferson. Na sala de estar, Adelaide Jefferson conversava com um senhor alto, irrequieto, que caminhava de um lado para outro da sala. Quando os visitantes entraram, ele se voltou rapidamente para vê-los.

— Oh, sim. Felizmente, vieram. Meu sogro estava procurando pelos senhores. Acaba de acordar. Por favor, façam tudo para acalmá-lo. Sua saúde não é muito boa. Admiro-me, realmente, de que esse choque não o tenha liquidado.

— Não imaginava que seu estado de saúde fosse tão precário — disse o inspetor Harper.

— Ele próprio não sabe — disse Mark Gaskell. — É o coração. O médico recomendou a Addie que não deve superexcitá-lo nem assustá-lo. Ele deu a entender que o fim poderia vir a qualquer momento, não foi, Addie?

A sra. Jefferson assentiu com a cabeça e disse:

— É incrível que tenha resistido como resistiu.

— O assassinato não é exatamente um incidente tranquilizador. Teremos o máximo cuidado possível —disse o coronel Melchett.

Ele avaliava Mark Gaskell enquanto falava. Não simpatizou muito com o sujeito. Uma fisionomia ousada, inescrupulosa e agressiva. Um daqueles homens que geralmente agem por conta própria e a quem as mulheres frequentemente admiram.

"Mas não é o tipo do indivíduo em que se deve confiar", pensava o coronel consigo mesmo.

Inescrupuloso, um bom adjetivo para ele.

A espécie de indivíduo que não se detinha diante de nada...

Conway Jefferson estava sentado em sua cadeira de rodas junto à janela do grande dormitório, de frente para o mar.

Mal se entrava no quarto dele e já se sentia a força e o magnetismo que emanavam de sua pessoa. Era como se os danos físicos que o haviam transformado num aleijado tivessem resultado numa concentração de vitalidade de seu corpo danificado num foco mais estreito e mais intenso.

O sr. Jefferson tinha uma bonita cabeça. Os cabelos ruivos estavam ligeiramente grisalhos. Seu rosto era forte e vigoroso, muito bronzeado, e seus olhos eram de um azul-brilhante. Não havia sinal de doença ou de fraqueza. As linhas profundas de sua face eram sulcos de sofrimento e não de fraqueza. Ali estava um desses homens que nunca afrontam o destino, mas o aceitam e se tornam vitoriosos.

— Agradeço-lhes muito por terem vindo — disse ele, olhando-os com seus olhos penetrantes. — O senhor é o chefe de polícia de Radfordshire? Certo. E o senhor é o inspetor Harper? Sentem-se. Em cima da mesa, ao lado dos senhores, há um maço de cigarros.

Os policiais agradeceram e se sentaram.

— Pelo que sei, sr. Jefferson, o senhor gostava muito da moça assassinada — disse o coronel Melchett.

Um sorriso rápido e retorcido estampou-se na face enrugada.

— Sim, todos já lhes disseram isso! Bem, não é segredo. O que mais lhes disse minha família?

Ele correu o olhar rapidamente de um para outro ao fazer a pergunta.

Foi Melchett quem respondeu.

— A sra. Jefferson nos contou muito pouco além do fato de que a conversa da jovem o divertia e de que ela era como sua protegida. Trocamos apenas umas duas palavras com o sr. Gaskell.

Conway Jefferson sorriu.

— Addie é uma criatura discreta. Mark provavelmente teria sido mais franco. Melchett, acho melhor lhe contar todos os fatos, plenamente. É importante, para que o senhor possa compreender minha atitude. E, para começar, preciso remontar à grande tragédia de minha vida. Há oito anos perdi minha esposa, minha filha e meu filho num acidente aéreo. Desde então, tenho vivido como um homem que tivesse perdido a metade de si mesmo... e não estou me referindo ao meu defeito físico! Era um homem que vivia para minha família. Minha nora e meu genro têm sido muito bons para mim. Têm feito tudo a seu alcance para preencherem o vazio de minha vida. Mas cheguei à conclusão, sobretudo ultimamente, de que eles, afinal de contas, precisam viver suas próprias vidas.

— Portanto, o senhor deve compreender que sou, essencialmente, um homem solitário. Gosto de pessoas jovens. Divirto-me com elas. De vez em quando, me passava pela cabeça a ideia de adotar alguma menina ou menino. Neste último mês, fiquei muito amigo da criança que foi assassinada. Ela era absolutamente espontânea, completamente ingênua. Falava frequentemente de sua vida e de sua experiência, nos teatros de revista, nas companhias itinerantes, com sua mãe e seu pai, quando criança, em casas baratas. Uma vida totalmente diferente de quantas até então conheci! Nunca se queixava e nunca via as coisas pelo lado negativo. Era uma verdadeira criança, natural, conformada, trabalhadora, sem vícios e encantadora. Não era uma senhora, talvez, mas, graças a Deus, não era tampouco vulgar nem... palavra abominável... refinada. Eu cada vez mais gostava de Ruby. Tinha resolvido, senhores, adotá-la legalmente. Ela se tornaria, por força da lei, minha filha. Isso, espero, explica meu interesse por ela e as providências que tomei quando soube de seu desaparecimento inexplicável.

Houve uma pausa. Em seguida, o inspetor Harper, com seu timbre de voz que não demonstrava qualquer emoção, tirando à pergunta qualquer sentido de ofensa, perguntou:

— Posso saber o que seu genro e sua nora acharam de sua atitude?

A resposta de Jefferson veio imediata.

— O que poderiam achar? É possível que não tivessem gostado. É a espécie de coisa que suscita preconceitos. Mas se comportaram muito bem; sim, muito bem. Não é porque dependessem de mim. Quando meu filho Frank se casou, eu lhe passei a metade de meus bens. Eu acreditava no princípio que diz: não deixem seus filhos esperando até sua morte. Eles precisam do dinheiro quando são jovens e não quando já estão na idade madura. Do mesmo modo, quando minha filha Rosamund insistiu em se casar com um homem pobre, fiz-lhe a doação de uma grande soma de dinheiro. A importância ficou para seu marido com sua morte. Como os senhores veem, isso simplificou a questão do ponto de vista financeiro.

— Compreendo, sr. Jefferson — disse o inspetor Harper. Mas havia uma certa reserva no seu tom. Conway Jefferson o percebeu.

— O senhor não concorda, não é?

— Não quero dizer isso, senhor, mas as famílias, na minha experiência, nem sempre agem razoavelmente.

— Ouso afirmar que o senhor tem razão, inspetor, mas deve-se lembrar de que o sr. Gaskell e a sra. Jefferson não são, falando estritamente, minha *família*. Não são parentes consanguíneos.

— Isso, realmente, faz diferença — admitiu o inspetor.

Os olhos de Conway Jefferson cintilaram por um momento.

— Não quero dizer com isso que eles não achem que eu seja um velho tolo! — disse ele. — Essa *seria* a reação das pessoas em geral. Mas não sou tolo. Conheço as pessoas. Com educação e trato, Ruby Keene não me envergonharia em lugar algum.

— Lamento muito — disse Melchett — se estivermos sendo impertinentes e importunos com tantas perguntas, mas é importante que conheçamos todos os fatos. O senhor propôs sustentar a moça, isto é, doar-lhe dinheiro, mas não chegou a fazê-lo?

— Eu sei aonde o senhor quer chegar — disse Jefferson. — A possibilidade de alguém ter se beneficiado com a morte da jovem? Mas não era possível. As formalidades necessárias para a adoção legal estavam em andamento mas não tinham sido ainda concluídas.

— Então, se alguma coisa acontecesse ao senhor...? — disse Melchett calmamente, deixando a frase inacabada, como uma dúvida.

Conway Jefferson reagiu imediatamente.

— Não há probabilidade de me acontecer nada! Sou aleijado mas não sou inválido. Ora, há sempre médicos que gostam de fazer drama, para os pacientes não cometerem excessos. Mas que excessos? Eu sou forte como um cavalo! Ainda assim, tenho bastante consciência das fatalidades da vida. Meu Deus, e como tenho razões para isso! A morte colhe às vezes os homens mais fortes, ainda mais nestes dias de acidentes de estradas. Mas já tinha cuidado disso. Há dez dias fiz novo testamento.

— Um novo testamento? — perguntou o inspetor Harper, inclinando-se um pouco para a frente.

— Deixei a quantia de cinquenta mil libras em custódia para Ruby Keene, até que ela completasse 25 anos, quando então entraria em posse do principal.

O inspetor Harper arregalou os olhos. E o coronel Melchett também.

— Mas é uma grande soma, sr. Jefferson — disse Harper num tom de voz quase assustado.

— Nos dias de hoje realmente é.

— E o senhor ia deixar tudo isso para uma moça que conhecera havia poucas semanas?

A indignação se refletiu nos olhos azuis do sr. Jefferson.

— Preciso repetir e repetir a mesma coisa? Não tenho mais parentes, nem sobrinhos, nem sobrinhas, e nem mesmo primos distantes! Poderia deixar tudo para uma casa de caridade. Prefiro deixar minha fortuna para um indivíduo — sorriu. — Cinderela tornou-se princesa da noite para o dia. Um Papai Noel em vez de uma fada. Por que não? O dinheiro é *meu*. Está acabado.

— Há outros legados? — perguntou o coronel Melchett.

— Uma pequena herança para o meu camareiro, e o resto para Mark e Addie em partes iguais.

— Perdoe-me, sr. Jefferson, o restante chegaria a ser uma grande soma?

— Talvez não. É difícil dizer exatamente. Os investimentos flutuam o tempo todo. A soma total, depois de pagas as despesas de funeral, talvez ficasse entre cinco e dez mil libras livres.

— Compreendo.

— E não vá pensar o senhor que eu esteja sendo avaro com eles. Como já disse, dividi minha fortuna com meus filhos casados. Fiquei, pessoalmente, com uma pequena soma. Mas, depois da tragédia, eu precisava de alguma coisa para encher minha vida. Entrei nos negócios. Em minha casa em Londres, uma linha particular ligava meu quarto de dormir ao meu escritório. Trabalhei muito. Isso me ajudava a não pensar e me dava a impressão de que minha mutilação não me tinha vencido. Atirei-me ao trabalho — sua voz assumiu um timbre mais profundo, falando mais para si próprio do que para os presentes — e por uma curiosa ironia, tudo que eu fazia prosperava! Minhas especulações mais absurdas davam resultado. Se eu jogava, ganhava. Tudo que eu tocasse virava ouro. Era o que se poderia chamar a maneira irônica do destino de equilibrar a balança.

Os sulcos de sofrimento estamparam-se de novo em seu rosto.

Recobrando-se, sorriu secamente para os policiais.

— Como os senhores veem, a quantia que deixei para Ruby era indiscutivelmente minha, para fazer dela o que me desse na cabeça.

— Certamente, meu caro senhor, não pusemos isso em dúvida momento algum — disse imediatamente o coronel Melchett.

— Está bem — disse Conway Jefferson. — Agora, se me permitem, sou eu quem quer fazer algumas perguntas. Preciso saber mais sobre esse terrível acontecimento. Tudo que sei é que ela... a coitadinha da Ruby... foi encontrada estrangulada numa casa a cerca de trinta quilômetros daqui.

— Perfeito. Em Gossington Hall.

Jefferson franziu os sobrolhos.

— Gossington? Mas não é...

— A casa do coronel Bantry.

— Bantry! Arthur Bantry? Eu o conheço. Conheço também sua esposa! Nós nos conhecemos no exterior alguns anos atrás. Não sabia que moravam por essas bandas. Ora essa, é...

Interrompeu-se. O inspetor Harper entrou insinuante.

— O coronel Bantry jantou aqui no hotel na terça-feira. O senhor não o viu?

— Terça-feira? Terça-feira? Não, chegamos tarde. Tínhamos ido a Harden Head e jantamos no caminho.

— Ruby Keene nunca lhe falou dos Bantry? — perguntou Melchett.

Jefferson meneou a cabeça.

— Nunca. Não creio que ela os conhecesse. Certamente não os conhecia. Todas as suas relações eram com gente do palco — fez uma pausa e em seguida perguntou bruscamente: — Que é que Bantry tem a dizer de tudo isso?

— Não sabe como explicar. Estivera numa reunião no Clube dos Conservadores naquela noite. O corpo foi descoberto na manhã seguinte. Ele afirma que nunca tinha visto a moça em sua vida.

Jefferson meneou a cabeça.

— Parece um sonho — disse.

O inspetor Harper limpou a garganta e disse:

— O senhor teria alguma ideia, sr. Jefferson, de quem poderia ter sido?

— Quisera ter! — As veias estremeceram na sua fronte. — É incrível, inconcebível. Eu diria que isso jamais poderia acontecer, se não tivesse acontecido!

— Não há nenhum amigo dela, de sua vida pregressa, nenhum homem que vivesse atrás dela, ameaçando-a?

— Tenho certeza de que não havia. Se houvesse ela teria me falado. Nunca teve um namorado fixo. Ela mesma me disse isso.

O inspetor Harper pensava: "Bem, isso é o que ela lhe disse. Resta saber se era verdade."

Conway Jefferson continuou:

— Josie saberia melhor do que ninguém se houvesse algum homem perseguindo ou importunando Ruby. Ela não poderia esclarecer?

— Ela diz que não.

— Não posso deixar de pensar que isso deve ter sido obra de algum maníaco — disse Jefferson com a testa franzida. — A brutalidade do método, levar para uma casa de campo, tudo tão desconexo e tão sem sentido. Há homens desse tipo, homens aparentemente sãos, mas que seduzem moças... às vezes, até crianças... para matá-las depois. Deve ser crime de natureza sexual.

— Oh, sim, acontecem casos assim, mas não temos conhecimento de nada desse gênero nesta região — disse Harper.

Jefferson prosseguiu.

— Pensei em todos os homens que vi com Ruby. Hóspedes e estranhos... o homem com quem ela dançava. Parecem todos inofensivos, tipos comuns. Ela não tinha amigo íntimo de espécie alguma.

O inspetor Harper mantinha-se impassível mas Conway Jefferson não percebia que havia ainda um brilho de especulação em seu olhar.

Era muito possível, pensava ele, que Ruby Keene pudesse ter um namorado, embora o sr. Jefferson não o soubesse.

Mas não disse nada. O chefe de polícia lançou-lhe um olhar de indagação e se levantou.

— Obrigado, sr. Jefferson — disse ele. — Era tudo de que precisávamos para o momento.

— Os senhores me manterão informados de seus progressos? — perguntou Jefferson.

— Perfeitamente, manteremos contato com o senhor.

Os dois policiais se retiraram.

Conway Jefferson recostou-se na cadeira.

Suas pálpebras se fecharam, ocultando um azul vivo de seus olhos. Pareceu de repente um homem excessivamente cansado.

Em seguida, passados cerca de dois minutos, suas pálpebras vibraram.

— Edwards! — chamou em voz alta.

Da porta do quarto contíguo apareceu imediatamente o camareiro. Edwards conhecia seu patrão como ninguém jamais o conhecera. Outros, mesmo os mais íntimos, conheciam apenas seu vigor. Edwards conhecia sua fraqueza. Vira Conway Jefferson fatigado, desanimado, aborrecido da vida, momentaneamente derrotado pela enfermidade e pela solidão.

— Às ordens, senhor.

—Vá procurar Sir Henry Clithering. Ele está em Melborne Abbas. Diga-lhe que lhe mando pedir para vir aqui hoje, se possível, em vez de amanhã. Diga-lhe que é urgente.

Capítulo 7

I

Já do lado de fora do apartamento de Jefferson, o inspetor Harper disse:

— Bem, aqui para nós, conseguimos um motivo.

— Hum — disse Melchett. — Cinquenta mil libras, não?

— Sim, coronel. Já se tem matado por muito menos.

— Sim, mas...

O coronel Melchett deixou a frase incompleta. Harper, entretanto, o entendeu.

— Não acha que seja muito provável nesse caso? Bem, eu também não, até o momento. Mas de qualquer maneira, temos sempre de admitir a hipótese.

— Oh, sim, naturalmente.

Harper continuou:

— Se, como diz Jefferson, o sr. Gaskell e a sra. Jefferson já estão providos e recebem uma renda considerável, não é provável que tivessem se arriscado a cometer um brutal assassinato.

— Concordo. Mas sua posição financeira terá de ser investigada, naturalmente. Não posso dizer que simpatizei muito com Gaskell: parece um sujeito mordaz e inescrupuloso. Mas daí a fazer dele um assassino, a distância é muito grande.

— Oh, sim, como disse, não vejo *probabilidade* de ser nenhum deles e, considerando o que disse Josie, não vejo como teria sido humanamente possível. Estavam ambos jogando bridge desde vinte para as onze até meia-noite. Não, a meu ver, há outra possibilidade.

— Algum namorado de Ruby Keene? — perguntou Melchett.

— Exatamente, coronel. Algum jovem entediado, não muito certo da cabeça. Alguém, eu diria, que a conhecesse antes de ela vir para cá. Esse plano de adoção, se teve conhecimento disso, pode ter desencadeado os fatos. Vendo que ia perdê-la, que Ruby ia ser levada para uma esfera de vida totalmente diferente da sua, perdeu o juízo e ficou cego de raiva. Ele a teria convidado para sair e encontrar-se com ele na noite passada; teve uma briga com ela por causa da adoção, perdeu o controle e a assassinou.

— E como teria ido parar na biblioteca de Bantry?

— Acho muito viável. Estavam fora, digamos, no carro dele. Ele voltou a si, viu o que tinha feito e sua primeira preocupação teria sido livrar-se do corpo. Digamos que estivesse no momento perto do portão de uma casa grande. Ocorreu-lhe a ideia de que se fosse encontrada ali, o cerco ao criminoso seria centralizado em torno da casa e de seus moradores, e ele ficaria comodamente fora da história. Ruby era de pequena estatura. Poderia carregá-la facilmente. Tinha um formão no carro. Força uma janela e joga sua vítima em cima do tapete. Sendo um caso de estrangulamento, não havia nem sangue nem sinais de luta para incriminá-lo. Compreende o que quero dizer, coronel?

— Oh, sim, Harper. É perfeitamente plausível. Mas há ainda uma coisa a ser feita. *Cherchez l'homme.*

— O quê? Oh, boa ideia, coronel.

O inspetor Harper aplaudiu habilmente a brincadeira de seu superior, embora, devido à perfeição da pronúncia francesa do coronel Melchett, quase não tivesse compreendido o sentido das palavras.

II

— Será... será que eu poderia falar com os senhores por um instante?

Era George Bartlett que abordava assim de surpresa os dois policiais.

O coronel Melchett, que não simpatizara com Bartlett e estava ansioso para ver o resultado das investigações no quarto da moça, a cargo do inspetor Slack, e para conversar com as camareiras, respondeu asperamente:

— O que é que há? Vamos, o que é que há?

O jovem Bartlett recuou alguns passos, abrindo e fechando a boca, imitando inconscientemente um peixe num aquário.

— Bem... talvez não seja muito importante. Achei que devia falar com os senhores. Não consigo achar o meu carro.

— O que? Não consegue achar o seu carro?

— Quer dizer que teria sido roubado? — perguntou o inspetor Harper.

George Bartlett, gaguejando, explicou que o que queria dizer era que não sabia onde estava o automóvel.

— O senhor acha que foi roubado? — perguntou o inspetor Harper.

George Bartlett voltou-se, grato, para a voz mais branda.

— É exatamente isso. O senhor sabe. Talvez alguém o tenha apanhado só por brincadeira, sem querer causar dano. Acho que o senhor me compreende.

— Quando o senhor o viu pela última vez, sr. Bartlett?

— Bem, estava procurando lembrar-me. É engraçado quando a gente procura lembrar-se das coisas, não é?

O coronel Melchett respondeu friamente:

— Não, pelo menos para uma inteligência normal. Tenho a impressão de ter ouvido o senhor dizer há poucos instantes que o carro estava no pátio do hotel na noite passada...

Bartlett interrompeu corajosamente:

— Ah, *estava*?

— O que o senhor quer dizer por *estava*? O senhor disse que *estava*.

— Bem, quero dizer que *achava* que estivesse. Quero dizer, bem, eu não saí para ir ver.

O coronel Melchett suspirou. Reuniu toda sua paciência e disse:

—Vamos esclarecer isso de uma vez. Quando foi que o senhor viu, realmente, seu carro pela última vez? A propósito, qual é a marca dele?

— Minoan 14.

— E quando o viu pela última vez?

O pomo de adão de George Bartlett movia-se convulsivamente para cima e para baixo.

— Estava procurando lembrar-me. Saí com ele ontem, antes do almoço. Ia dar uma volta à tarde. Mas o senhor sabe como é, acabei indo dormir. Então, depois do chá, fui jogar tênis e em seguida tomei um banho.

— E o carro estava então no pátio do hotel?

—Acho que sim. Quero dizer, foi lá que o deixei. Pensava em levar alguém para um passeio. Depois do jantar, sabe. Mas não estava com sorte na noite passada. Não tinha nada para fazer. Acabei não tomando o velho ônibus para sair.

— Mas, para o senhor, o carro ainda estava no pátio?

— Bem, naturalmente. Eu o tinha posto lá...

— O senhor teria notado se *não* estivesse?

Bartlett meneou a cabeça.

— Acho que não. Há muitos carros entrando e saindo. O pátio está cheio de Minoans.

O inspetor Harper assentiu com a cabeça. Olhando de relance pela janela calculara que, naquele momento, havia nada menos que oito Minoans no pátio. Era o carro popular do ano.

— O senhor não tem o hábito de guardar seu carro à noite? — perguntou o coronel Melchett.

— Em geral não me dou a este trabalho — respondeu o sr. Bartlett. O tempo está bom. É incômodo manobrar um carro numa garagem.

Lançando um olhar para o coronel Melchett, disse o inspetor Harper:

— Eu o encontrarei lá em cima, coronel. Só vou chamar o sargento Higgins e encarregá-lo de colher as informações do sr. Bartlett.

— Ótimo, Harper. Bartlett murmurou ansioso:

— Achei que seria bom informá-los. Talvez fosse importante, não é?

III

Prestcott tinha providenciado alimentação e pousada para a nova dançarina. Qualquer que fosse o tipo de alimentação, o alojamento era o mais pobre do hotel.

Josephine Turner e Ruby Keene tinham ocupado quartos no final de um pequeno corredor comum e escuro. Os quartos eram pequenos, de frente para o norte, numa parte do paredão que sustentava o hotel, e eram mobiliados com restos de apartamentos que outrora, trinta anos atrás, representavam o luxo e a magnificência dos melhores aposentos. Agora, depois que o hotel tinha sido modernizado e os quartos providos de armários embutidos, esses grandes guarda-roupas vitorianos de carvalho e de mogno eram relegados àqueles quartos ocupados pelo *staff* do hotel, ou cedidos a hóspedes na alta temporada, quando todos os quartos estavam ocupados.

Melchett verificou de imediato que a localização do quarto de Ruby Keene era ideal para a finalidade de sair do hotel sem ser observado, e isso era ruim, infelizmente, do ponto de vista do esclarecimento das circunstâncias daquela saída.

No fim do corredor, havia uma pequena escada que conduzia a outro corredor no andar térreo igualmente escuro. Havia ali uma porta de vidro que dava para o terraço lateral do hotel, lugar pouco frequentado, sem nenhuma vista. Podia-se passar dali para o terraço principal na frente, ou se podia descer um caminho tortuoso e sair numa pista que, finalmente, alcançava a estrada do penhasco um pouco mais adiante. Como sua superfície não era boa, raramente era trilhado.

O inspetor Slack estivera ocupado, aborrecendo a camareira e procurando pistas no quarto de Ruby; tivera a sorte de encontrar o quarto exatamente como tinha sido deixado na noite anterior.

Ruby Keene não tinha o hábito de se levantar cedo. Seu costume, conforme apurara Slack, era dormir até 10h30 e em seguida pedir o café da manhã. Por conseguinte, logo que Conway Jefferson começara a fazer suas reclamações junto ao gerente, a polícia se encarregara da coisa, ainda cedo, antes que as criadas tocassem no quarto. Elas nem sequer haviam descido àquele corredor. Os quartos daquela ala, naquela época do ano, só eram abertos e varridos uma vez por semana.

— Todas as circunstâncias eram favoráveis — dizia Slack, melancólico. — Se houvesse alguma coisa para ser encontrada, teríamos encontrado. Mas não há nada.

A polícia de Glenshire já tinha estado no quarto colhendo impressões digitais mas não havia nada que não pudesse ser explicado. Eram impressões da própria Ruby, de Josie e das duas camareiras, uma do turno da manhã, outra da tarde. Havia também umas duas impressões de Raymond Starr, mas eram explicáveis pelo fato de ter subido com Josie para procurar Ruby, quando ela não apareceu para o número da meia-noite.

Havia um monte de cartas e papéis sem valor, nos pequenos compartimentos de uma escrivaninha de mogno maciço no canto do quarto. Slack tinha acabado de separá-los cuidadosamente. Mas não encontrara nada de sugestivo. Contas, recibos, programas de teatro, ingressos de cinema, recortes de jornais, sugestões de beleza tiradas de revistas. Entre as cartas havia algumas de "Lil", provavelmente uma amiga do Palais de Danse, contando-lhe vários acontecimentos e boatos e dizendo que "sentia muita falta de Ruby. O sr. Findeison perguntou muitas vezes por você! Puxa, ele está sempre por fora! O jovem Reg está namorando May depois que você foi embora. Barny está sempre perguntando por você. As coisas vão indo como de costume. O velho Grouser, como sempre, muito severo conosco. Ele puniu Ada por ter saído com um sujeito."

Slack anotava cuidadosamente todos os nomes mencionados. Iria interrogá-los. Quem sabe, talvez daí pudesse surgir alguma pista. O coronel Melchett concordou, como também o inspetor Harper, que já havia chegado. Fora isso, o quarto tinha muito pouco a oferecer a título de informação.

Em cima de uma cadeira, no meio do quarto, estava um vestido de dança, cor-de-rosa, volumoso, que Ruby usara no início da noite com um par de sandálias de salto alto de cetim cor-de-rosa, atiradas negligentemente sobre o assoalho. Duas meias de seda pura tinham sido enroladas como uma bola e jogadas no chão. Uma tinha um fio puxado. Melchett lembrou-se de que a moça morta estava descalça e sem meias. Slack ficou sabendo que era seu hábito. Preferia usar pintura nas pernas a botar meias e só algumas vezes as usava para dançar, a título de economia. A porta do guarda-roupa estava aberta e mostrava uma variedade de vestidos cintilantes de toalete e, embaixo, uma fila de sapatos. Havia ainda roupas íntimas na cesta de roupas sujas, aparas de unha, lenços de limpeza facial usados e pedaços de algodão manchados de ruge e esmalte, na cesta de papéis. Enfim, nada fora do comum! Os fatos pareciam muito claros. Ruby Keene tinha subido apressadamente as escadas, trocado de roupa e saído de novo apressada. *Para onde?*

Josephine Turner, que poderia estar em condições de conhecer a vida de Ruby e a maioria de seus amigos, não pudera ajudar muito. Mas isso, afirmava Slack, podia ser natural.

— Se o que o senhor está me dizendo for verdade... sobre esse negócio de adoção... então Josie faria tudo para que Ruby rompesse com velhos amigos que pudesse ter e pudessem estragar os planos, por assim dizer. Conforme me parece, esse senhor inválido fazia tudo na suposição de ser Ruby Keene uma criança pura e inocente. Ora, suponhamos que Ruby fosse vista com um namorado vulgar; isso poria por terra todos os planos. Portanto, o negócio de Ruby era manter-se na obscuridade. Josie não sabe muito a seu respeito, nem sobre seus amigos e tudo o mais. Mas com uma coisa ela não concordaria: que Ruby arruinasse tudo envolvendo-se com algum sujeito indesejável. Portanto, parece razoável que Ruby (que, como imagino, era um bocado esperta!) faria tudo para não ser vista com algum namorado. Não contaria nada a Josie, que certamente lhe diria: "Não, menina, você não pode fazer isso." Mas o senhor sabe como são as moças... especialmente essas meninas-moças... estão sempre prontas a bancar as tolas com um sujeito qualquer. Ruby quer vê-lo. Ele vem aqui, fica furioso com essa história da adoção e aperta o pescoço da moça.

— Talvez você tenha razão, Slack — disse o coronel Melchett, disfarçando sua repugnância natural pela maneira desagradável de Slack ver as coisas. — Se for assim, teremos a possibilidade de descobrir facilmente a identidade desse namorado violento.

— Deixe isso comigo, chefe — disse Slack com sua confiança habitual. — Vou descobrir essa tal de "Lil", no Palais de Danse, e a virarei pelo avesso. Chegaremos em breve à verdade.

O coronel Melchett se perguntava se tudo seria assim tão fácil. A energia e o dinamismo de Slack faziam-no sentir-se sempre cansado.

— Há outra pessoa de quem se poderia arrancar alguma coisa, coronel — continuou Slack —, é o instrutor de dança e de tênis. Ele deve ter visto muita coisa e deve saber mais da vida de Ruby do que Josie. É bem provável que Ruby tenha se aberto com seu companheiro de dança.

— Já discuti esse ponto com o inspetor Harper.

— Ótimo, coronel. Esgotei as camareiras com perguntas. Não sabem de nada. Tratei-as com superioridade, tanto quanto pude aparentar. Faziam o serviço apressadamente, sem maior cuidado. A camareira esteve aqui pela última vez às sete horas da noite passada, quando arrumou a cama e puxou as cortinas para clarear um pouco o quarto. Há um banheiro ali naquela porta, os senhores querem ver?

O banheiro ficava entre o quarto de Ruby e um quarto um pouco maior ocupado por Josie. Estava iluminado. O coronel Melchett admirava em silêncio a quantidade de produtos de beleza que uma mulher podia usar. Filas de vidros de creme facial, creme de limpeza, creme de remover, creme nutritivo para a pele! Caixas de pó de arroz de diferentes tonalidades. Um monte desordenado de toda variedade de batons. Loções de cabelo e aplicações para "clarear". Sombra, rímel, corretor de olheiras, lenços de limpeza, pedaços de algodão, pompons sujos. Vidros de loções: adstringente, tônica, suavizante etc.

— Você acha — murmurou debilmente — que uma mulher usa tudo isso?

Slack, que sempre sabia de tudo, o esclareceu gentilmente.

— Na sua vida privada, coronel, a mulher usa um ou dois tipos de maquiagem distintos, um para a noite, outro para o dia. Ela sabe o que lhe convém. Mas essas jovens profissionais, elas sim, têm de variar, por assim dizer. Dão espetáculos de dança, uma noite dançam um tango e na noite seguinte já é uma dança vitoriana, depois uma espécie de dança apache, depois a dança comum e é claro, a maquiagem varia um bocado.

— Santo Deus! — disse o coronel. — Não é de admirar que as pessoas que fabricam esses cremes e poções façam uma fortuna.

— O negócio é que ganham dinheiro com facilidade — disse Slack. — Dinheiro fácil. Ganho, é claro, para gastar em publicidade.

O coronel Melchett afastou o pensamento do fascinante e eterno problema dos adornos femininos.

— Há ainda aquele dançarino — disse a Harper, que acabava de alcançá-los. — É sua presa, inspetor?

— Acho que sim, coronel.

Ao descerem as escadas, Harper perguntou:

— Que acha da história do sr. Bartlett?

— Sobre o carro? Acho, Harper, que aquele moço precisa ser observado. É uma história suspeita. Suponhamos, afinal de contas, que tenha saído de carro com Ruby Keene na noite passada?

IV

Os modos do inspetor Harper eram calmos, agradáveis e absolutamente desapaixonados. Esses casos em que as polícias de dois municípios tinham de trabalhar juntas eram sempre difíceis. Gostava do coronel Melchett e o considerava um chefe de polícia competente. Contudo, gostaria de poder conduzir sozinho este interrogatório. Nunca fazer demais de uma só vez era a norma do inspetor Harper. Simples inquérito de rotina primeiro. Isso deixava as pessoas mais à vontade e as predispunha a ficarem menos prevenidas no interrogatório seguinte.

Harper já conhecia Raymond Starr de vista. Um tipo de bela aparência, alto, esbelto e simpático, com dentes muito alvos, num rosto bastante bronzeado. Era moreno e elegante. Tinha maneiras agradáveis e cordiais, e era muito popular no hotel.

— Sinto muito, inspetor, mas não creio que lhe possa ser multo útil. É claro que conheci Ruby muito bem. Esteve aqui mais de um mês e ensaiávamos juntos nossas danças e tudo o mais. Mas, realmente, tenho muito pouco a dizer. Era uma jovem simpática, embora um tanto ingênua.

— É sobre suas amizades que gostaríamos muito de saber. Suas amizades masculinas.

— Imagino. Bem, eu não sei de nada! Ela era próxima de alguns jovens no hotel mas nada de especial. Ela era quase sempre monopolizada pela família Jefferson.

— Ah, sim, a família Jefferson — Harper fez uma pausa para refletir. Lançou um olhar arguto para o jovem. — O que é que o senhor acha daquele negócio, sr. Starr?

— Que negócio? — perguntou Raymond Starr friamente.

— O senhor sabia que o velho Jefferson estava disposto a adotar Ruby Keene como filha? — perguntou Harper.

Isso pareceu uma novidade para Starr. Contraiu os lábios e assobiou.

— Que menininha danada! — disse ele. — Oh, sim, não há ninguém tão louco como um louco velho.

— É assim que o senhor considera a questão?

— Bem... o que mais se pode dizer? Se o velho queria adotar alguém, por que não escolheu uma jovem de sua própria classe?

— Ruby Keene nunca lhe falou a respeito disso?

— Nunca. Notei que andava exultante com alguma coisa mas não sabia o que era.

— E Josie?

— Oh, Josie deve ter percebido alguma coisa no ar. Quem sabe se não foi ela quem planejou tudo? Josie não é boba. Aquela menina tem cérebro, sabe?

Harper assentiu com a cabeça. Foi Josie quem mandou buscar Ruby Keene. Era Josie, sem dúvida, quem estimulava a intimidade. Não admira que tenha ficado aborrecida quando Ruby deixou de se apresentar para o *show* daquela noite e Conway Jefferson começou a entrar em pânico. Ela previu o malogro de seus planos.

— O senhor acha que Ruby era capaz de guardar segredo?

— Perfeitamente. Não falava muito de seus problemas pessoais.

— Nunca lhe disse nada, absolutamente nada, de algum amigo, alguém de sua vida anterior que viesse vê-la aqui, ou com quem tivesse alguma dificuldade? Acho que o senhor entendeu o que quero dizer.

— Compreendo perfeitamente. Bem, tanto quanto me foi dado saber, não havia ninguém dessa espécie. Não lembro de nenhuma referência da parte dela.

— Obrigado, sr. Starr. Agora o senhor vai me dizer com suas próprias palavras exatamente o que aconteceu na noite passada.

— Perfeitamente. Ruby e eu dançamos juntos às 22h30...

— Não notou, então, nada de anormal com ela?

Raymond refletiu.

— Acho que não. Não notei o que aconteceu depois. Eu tinha meus próprios pares para cuidar. Lembro-me de ter notado que não estava no salão de baile. À meia-noite ela não apareceu. Fiquei muito aborrecido e fui procurar Josie. Ela estava jogando bridge com os Jefferson. Não tinha a menor ideia de onde estaria Ruby e tive a impressão de que tomou um susto. Notei que lançou um olhar rápido e preocupado para o sr. Jefferson. Persuadi os músicos a tocarem outro número, fui ao escritório e pedi que discassem para o quarto de Ruby. Ninguém atendia. Voltei a Josie. Ela sugeriu que talvez Ruby estivesse dormindo. Uma sugestão realmente tola, mas, naturalmente, feita por causa dos Jefferson! Saiu comigo e me chamou para subir com ela.

— Muito bem, sr. Starr. E o que foi que ela lhe disse quando estava só com o senhor?

— Pelo que me lembro, parecia muito aborrecida e dizia: "Que menina tola! Ela não pode fazer isso. Perderá todas as oportunidades. Você sabe com quem ela estava?" Eu lhe disse que não fazia a menor ideia. A última vez que a vira estava dançando com o jovem Bartlett, Josie então disse: "Ela não devia ficar com *ele*. Para onde teria ido? Será que saiu com o *moço do cinema*?"

— *Moço do cinema?* — perguntou Harper abruptamente. — Quem é ele?

— Eu não sei seu nome — respondeu Raymond. — Nunca se hospedou aqui. É um sujeito de aspecto exótico... cabelos pretos e modos teatrais. Acho que está ligado à indústria cinematográfica, assim teria dito a Ruby. Ele já veio jantar aqui uma ou duas vezes e dançou com Ruby depois, mas não creio que ela tivesse muita intimidade com ele. Daí por que fiquei surpreso quando Josie o mencionou. Eu disse que achava que ele não estivera aqui naquela noite. Josie disse: "Bem, ela deve ter saído com *alguém*. O que é que vou dizer aos Jefferson?" Então eu perguntei o que é que os Jefferson tinham a ver com isso? E Josie disse que *tinham* muito. E disse, ainda, que nunca perdoaria Ruby se ela pusesse tudo a perder. A essa altura chegamos ao quarto de Ruby. Ela não estava ali, é claro, mas estivera, porque o vestido usado no seu último número de dança estava em cima de uma cadeira. Josie olhou o guarda-roupa e achou que ela tinha posto um vestido branco. Normalmente teria vestido um vestido de veludo preto para nosso número de dança espanhola. Eu estava muito aborrecido por Ruby ter feito isso comigo. Josie fez tudo para me acalmar e disse que ela mesma ia dançar, para que Prestcott não se zangasse conosco. Ela foi ao seu quarto, mudou o vestido, descemos e dançamos um tango num estilo exagerado e pomposo mas que não forçasse demais seus tornozelos. Apesar disso, pude ver que Josie sentiu o esforço. Depois, me pediu para ajudá-la a tranquilizar os Jefferson. Ela disse que isso era importante. Então, não podia deixar de ajudá-la.

O inspetor Harper assentiu com a cabeça.

— Obrigado, sr. Starr – disse ele.

"Era importante, não há dúvida. Cinquenta mil libras", dizia para si mesmo.

Ele ficou observando Raymond Starr, que se afastava airosamente. Starr desceu os degraus do terraço e no caminho apanhou um saco de bolas de tênis e uma raquete. A sra. Jefferson, também com uma raquete, juntou-se a ele e se dirigiram para as quadras de tênis.

— Desculpe, inspetor.

Era o sargento Higgins, um tanto esbaforido, parado ao lado de Harper.

O inspetor, despertado abruptamente dos pensamentos em que estava absorto, olhou espantado.

— Acaba de chegar uma mensagem da sede para o senhor. Um trabalhador comunicou que esta manhã viu um clarão parecido com fogo. Meia hora depois, foi encontrado um carro incendiado numa pedreira. A pedreira de Venn, a cerca de três quilômetros daqui. Há indícios de um corpo carbonizado.

Um rubor tomou conta das feições severas do inspetor Harper.

— Santo Deus, que está acontecendo a Glenshire? Uma epidemia de violência? Não me venham dizer que vamos ter uma onda de crimes por aqui.

Após uma pequena pausa, perguntou:

— Conseguiram o número da placa?

— Não, inspetor, mas puderam identificá-lo, é claro, pelo número do chassi. Acham que se trata de um Minoan 14.

Capítulo 8

I

Sir Henry Clithering, ao passar pelo salão do Majestic, praticamente não desviou o olhar para ninguém. Estava preocupado. No entanto, como acontece na vida, seu subconsciente registrou alguma coisa que aguardou sua hora pacientemente.

Sir Henry se perguntava, ao subir as escadas, o que teria motivado a súbita mensagem de seu amigo. Conway Jefferson não era o tipo de homem de mandar chamar alguém com urgência. Alguma coisa fora do comum acontecera, sem dúvida.

Jefferson não perdeu tempo com rodeios.

— Agradeço-lhe muito por ter vindo — disse. — Edwards, traga uma bebida para Sir Henry. Sente-se, meu caro. Pelo visto, acho que não sabe de nada. Não apareceu ainda nos jornais?

Sir Henry Clithering meneou a cabeça, com a curiosidade ainda mais aguçada.

— De que se trata?
— De assassinato. Estou envolvido no caso assim como seus amigos, os Bantry.
— Arthur e Dolly Bantry? — perguntou incrédulo.
— Sim. O corpo foi encontrado na casa deles.

Conway Jefferson narrou de modo sucinto e claro toda a história. Sir Henry ouviu-o sem interromper. Ambos estavam acostumados a ir direto ao cerne do assunto. Sir Henry, durante sua gestão como superintendente da Polícia Metropolitana, tornara-se famoso por sua rapidez em definir a prioridade dos fatos.

— É um absurdo — comentou quando Jefferson terminou. — Tem ideia de como os Bantry se meteram nessa encrenca?

— É isso que me preocupa. Veja, Henry, tenho a impressão de que possivelmente o fato de eu os conhecer poderia ter alguma relação com o caso. É a única ligação que posso encontrar. Nenhum deles, que eu saiba, jamais viu a moça antes. É o que eles dizem e não há motivo para não se acreditar neles. Era mais do que improvável que a conhecessem. Então não é possível que tenha sido assassinada em alguma parte e levada deliberadamente para a casa de amigos meus?

— Acho que é ir longe demais — disse Sir Henry.
— Mas é possível — persistiu o outro.
— Sim, mas improvável. E o que você quer que eu faça?

Conway Jefferson disse amargamente:
— Sou um inválido. Disfarço a realidade, recuso encará-la, mas agora isso começa a ter sentido para mim. Não posso sair por aí como seria de minha vontade, fazendo perguntas, olhando as coisas. Tenho de ficar aqui humildemente agradecido por migalhas de informações quando a polícia é generosa o suficiente para reparti-las comigo. A propósito, conhece Melchett, chefe de polícia de Radfordshire?

— Sim, conheço.

Alguma coisa martelava a cabeça de Sir Henry. Um rosto, uma pessoa, distraidamente percebidos ao passar pelo salão. Uma velha empertigada, cuja fisionomia lhe era familiar, que lhe fazia recordar a última vez que vira Melchett.

— Quer dizer que pretende fazer de mim um detetive amador? Isso não é de meu feitio — disse ele.

—Você *não* é um amador, aí é que está — retorquiu Jefferson.

— Nem sou um profissional tampouco. Estou na lista dos aposentados.

— Isso simplifica a questão — disse Jefferson.

— Quer dizer que se eu estivesse ainda na Scotland Yard não poderia me intrometer no caso? Isso é verdade.

— Assim sendo — disse Jefferson —, sua experiência o qualifica para se interessar pelo caso e qualquer cooperação que prestar será bem-acolhida.

— A etiqueta o permite, concordo — disse Sir Henry calmamente. — Mas o que você quer que eu faça realmente, Conway? Descobrir quem matou essa moça?

— Exatamente.

—Você mesmo não tem nenhuma ideia?

— Nenhuma, absolutamente nenhuma. Sir Henry disse calmamente:

— Talvez não queira acreditar em mim, mas você tem lá embaixo, no salão do hotel, neste exato momento, uma pessoa perita em solução de mistérios. Alguém melhor do que eu no assunto e que com toda a probabilidade *pode* ter informações locais.

— De quem está falando?

— Lá, no salão, junto à terceira coluna à esquerda, está sentada uma senhora idosa, com uma fisionomia tranquila e plácida de solteirona e uma mente que penetra as profundezas da iniquidade humana e as revela à luz do dia. Chama-se Miss Marple. É da aldeia de St. Mary Mead, que fica a 1,5km de Gossington, e é amiga dos Bantry. E, no que diz respeito a crimes, ela é a melhor, Conway.

Jefferson o encarou com o cenho franzido.

—Você está brincando.

— Não, não estou. Você se referiu agora mesmo a Melchett. A última vez que o vi foi numa tragédia na aldeia. Uma moça que, segundo se supunha, tinha-se afogado. A polícia imediatamente suspeitou não se tratar de suicídio mas de assassinato. Achavam que as pessoas soubessem quem o tinha cometido. Veio ter comigo a velha Miss Marple, nervosa e agitada. Lamentaria muito, dizia ela, se enforcassem um falso assassino. Não tinha provas mas sabia quem era o verdadeiro criminoso. Passou-me um pedaço de papel no qual escrevera um nome. Por Deus, Jefferson, ela tinha razão!

As sobrancelhas de Conway Jefferson tornaram-se ainda mais pesadas. Murmurou incredulamente:

— Intuição feminina — disse com ceticismo.

— Não, ela diz que não; técnica especializada é o que ela alega.

— E o que quer dizer com isso?

— Bem, você sabe, Jefferson, *usamos* isso no trabalho policial. Tomamos conhecimento de um arrombamento. Geralmente sabemos muito bem quem o fez, isto é, entre os malandros de sempre. Conhecemos a espécie de arrombador que age dessa ou daquela maneira. Miss Marple tem uma série interessante, embora às vezes trivial, de paralelos com a vida da aldeia.

Jefferson perguntou num tom cético:

— O que é que ela poderia saber de uma jovem que foi criada num meio teatral e provavelmente nunca esteve na sua aldeia?

— Acho que ela poderia ter algumas ideias — disse Sir Henry Clithering firmemente.

II

Miss Marple corou de prazer quando Sir Henry inclinou-se diante dela.

— Oh, Sir Henry, é muita sorte encontrá-lo aqui.

— Para mim é um grande prazer — disse Sir Henry, muito cortês.

Miss Marple, corando, retorquiu:

— Bondade sua.

— A senhora está hospedada aqui?

— Bem, de fato, estamos.

— *Estamos*? Quem mais?

— A sra. Bantry também — lançou-lhe um olhar inquiridor. — Não sabe ainda de nada? Sim, posso ver que já sabe. É terrível, não é?

— O que Dolly Bantry veio fazer aqui? Seu marido veio também?

— Não. É claro que cada um reage a seu modo. O coronel Bantry, coitado, prefere encerrar-se no seu escritório ou ir a uma de suas fazendas, quando acontece uma coisa dessas. Como tartaruga, encolhe a cabeça na esperança de que ninguém o veja. Dolly, naturalmente, é *muito* diferente.

— Dolly, na realidade, deve estar se divertindo com isso — disse Sir Henry, que conhecia muito bem sua velha amiga.

— Ah... coitada de minha amiga.

— Trouxe a senhora para tirar os coelhos da cartola para ela?

Miss Marple respondeu calmamente.

— Dolly achou que uma mudança de ambiente lhe faria bem e não queria vir sozinha. — Ela viu os olhos de seu interlocutor piscando e piscou também. — Mas, naturalmente, sua maneira de ver as coisas é bastante correta. É um tanto incômodo para mim, pois, é claro, não estou habituada a isso.

— Não tem nenhuma ideia? Nenhum paralelo na aldeia?

— Quase não sei de nada ainda.

— Posso remediar um pouco essa situação, Miss Marple. Vou colocá-la a par dos acontecimentos.

Ele fez um breve relato das ocorrências. Miss Marple ouviu com grande interesse.

— Pobre sr. Jefferson — disse ela. — Que história triste. Esses acidentes terríveis. Deixá-lo vivo, aleijado, parece ter sido mais cruel do que se tivesse morrido também.

— Realmente. Essa é a razão porque seus amigos o admiram tanto, pela maneira corajosa como enfrenta tudo, dominando a dor, a tristeza e os incômodos físicos.

— Formidável.

— A única coisa que não posso compreender é esse súbito extravasamento de afeição por essa moça. Ela devia ter, realmente, qualidades excepcionais.

— Provavelmente, não — disse Miss Marple calmamente.

— A senhora pensa assim?

— Não creio que suas qualidades tenham entrado em questão.

— Jefferson não é um desses velhos devassos — observou Sir Henry Clithering.

— Oh, não, nem pensei nisso, nem por um segundo — disse Miss Marple com a face ligeiramente enrubescida. — O que estava querendo dizer... Fui um tanto infeliz na expressão...é que ele estaria apenas à procura de uma moça bonita e inteligente para tomar o lugar de sua filha morta... e então essa moça teve sua oportunidade e desempenhava seu papel da melhor maneira possível! Isso pode parecer falta de caridade de minha parte, mas tenho visto tantos casos parecidos. A jovem empregada da casa do sr. Harbottle, por exemplo. Uma mocinha muito *comum*, mas tímida e de boas maneiras. A irmã dele foi chamada para assistir, como enfermeira, um parente moribundo e quando voltou encontrou a moça completamente desvanecida, sentada na sala de estar, rindo e conversando, sem a touca e o avental. A srta. Harbottle a repreendeu rudemente e a moça lhe respondeu com altivez. Foi então que o velho sr. Harbottle deixou-a estupefata, dizendo que achou que ela já cuidara dele por tempo demais e que estava procurando então outra solução.

"Tal foi o escândalo criado na aldeia, que a pobre da srta. Harbottle teve de ir-se embora e vive atualmente em quartos os mais desconfortáveis em Eastbourne. As pessoas *falam* muito, mas acredito que não tenha havido intimidade de qualquer espécie. O caso é simplesmente que o velho achou que era muito mais agradável ter uma jovem, uma jovem alegre, para lhe dizer como ele era inteligente e divertido do que ter uma irmã que só vivia a lhe apontar falhas, muito embora fosse uma administradora muito econômica."

Houve um momento de pausa; em seguida Miss Marple concluiu:

— Houve também o caso do sr. Badger, que era dono da farmácia. Ele se preocupava muito com uma jovem senhora que trabalhava na seção de perfumaria. Disse à sua mulher que deviam cuidar dela como se fosse uma filha e a convidaram para morar com eles. A sra. Badger não via as coisas desse modo.

— Se fosse pelo menos uma moça de sua classe... filha de um amigo... — ia dizendo Sir Henry mas foi interrompido por Miss Marple.

— Mas a coisa não teria sido tão satisfatória do seu ponto de vista. É como o caso do rei Cofétua e a mendiga.* Quando se trata de um homem realmente solitário, velho, cansado e, quando a própria família o abandona... — Miss Marple fez uma pequena pausa — ...bem, proteger alguém que será esmagado por sua magnificência (para dizer em termos mais melodramáticos, mas acho que o senhor me compreende), enfim, isso é muito mais interessante. Leva-o a considerar-se um grande homem... um monarca benfeitor. O beneficiado, naturalmente, fica deslumbrado, e isso para ele, é claro, é um sentimento agradável. — Fez uma pausa e continuou. — O sr. Badger comprou para sua empregada presentes caríssimos, uma pulseira de diamantes e uma radiovitrola de primeira

---

* Rei mítico africano, que se apaixonou por uma mendiga e a desposou. (N.E.)

categoria. Lançou mão de várias economias para atender a essas despesas. No entanto, a sra. Badger, que era uma mulher muito mais astuta do que a pobre srta. Harbottle (o casamento, naturalmente *ajuda*), deu-se ao trabalho de descobrir algumas coisas. Quando o sr. Badger constatou que a moça estava mantendo relações com um jovem muito inconveniente, ligado a corridas de cavalo, e tinha inclusive penhorado a pulseira para lhe arranjar dinheiro, bem, aí ficou completamente decepcionado e terminou tudo. E no Natal seguinte deu um anel de ouro à sra. Badger.

Seus olhos vivos e alegres encontraram os de Sir Henry. Ele se perguntava se aquilo que ela estivera dizendo era uma insinuação.

— A senhora estaria sugerindo que se tivesse havido um jovem na vida de Ruby Keene, a atitude de meu amigo para com ela teria se modificado? — perguntou.

— Provavelmente. Posso afirmar que dentro de um ou dois anos ele poderia ter gostado de arranjar ele próprio seu casamento, embora dificilmente o fizesse... os cavalheiros em geral são egoístas. Mas tenho quase certeza de que se Ruby Keene tivesse um namorado ela tomaria todo o cuidado para não deixar transparecer.

— E o jovem teria ficado ressentido com isso?

— Acho que é a solução mais plausível. Chocou-me, que a prima, a jovem que esteve hoje pela manhã em Gossington, parecesse na verdade *zangada* com a morte de Ruby. O que o senhor me disse explica *por quê*. Não há dúvida de que estava conduzindo o negócio visando a vantagens futuras.

— Um tipo frio, não é?

— Talvez seja um juízo muito severo. A pobre teve de ganhar sua vida e não se pode esperar que tivesse pena porque um homem e uma mulher abastados, como o senhor descreveu o sr. Gaskell e a sra. Jefferson, iam ser privados de uma maior soma de dinheiro à qual na realidade não têm nenhum direito de ordem moral. Eu diria que a srta. Turner é antes uma jovem ambiciosa e teimosa, dotada de força de vontade e considerável *joie de vivre*. Um pouco semelhante a Jesie Golden, a filha do padeiro — acrescentou Miss Marple.

— O que lhe aconteceu?

— Ela treinava como babá e se casou com o filho do dono da casa, que veio da Índia para passar as férias. Acho que tem sido uma esposa muito boa para ele.

Sir Henry procurou desvencilhar-se dessas fascinantes questões laterais.

— A senhora acha que existe algum motivo pelo qual meu amigo Conway Jefferson teria, de repente, desenvolvido esse "complexo de Cofétua", como a senhora diz? — perguntou.

— É possível.

— Em que sentido?

— Eu acho... — respondeu Miss Marple, um pouco hesitante. — É apenas uma sugestão... que talvez seu genro e sua nora pudessem querer casar de novo.

— E certamente não poderia opor-se a isso?

— Não se trata de *oposição*. Mas é preciso encarar o fato de seu ponto de vista. Ele passou por um golpe terrível, e eles também; vivem todos eles, desolados, uma vida comum e o *vínculo* que os une é a perda que todos sofreram. Mas o tempo, como costumava dizer minha querida mãe, cura muitas coisas. O sr. Gaskell e a sra. Jefferson são jovens. Sem que eles mesmos possam ter percebido, estão começando a se sentir inquietos, a ressentirem-se dos elos que os prendem a uma dor passada. E então, pensando assim, o velho Jefferson teria se tornado consciente de uma súbita perda de solidariedade sem saber sua causa. É geralmente assim. Os homens facilmente se sentem abandonados. Com o sr. Harbottle foi a srta. Harbottle que partiu. E com os Badger foi a sra. Badger, interessada pelo espiritismo e frequentando assiduamente as sessões.

— Permita-me que lhe diga — disse Sir Henry pesaroso — que não gosto da maneira como a senhora reduz tudo a um denominador comum.

Miss Marple meneou a cabeça tristemente.

— A natureza humana é sempre a mesma em toda parte, Sir Henry.

— Sr. Harbottle! Sr. Badger! E o pobre do Conway! Detesto introduzir qualquer nota pessoal mas a senhora teria algum paralelo para *minha* humilde pessoa em sua aldeia? — perguntou Sir Henry aborrecido.

— Bem, é claro, temos Briggs.

— Quem é Briggs?

— Era o jardineiro-chefe em Old Hall. O melhor empregado que já tiveram. Sabia exatamente quando os jardineiros subalternos estavam se descuidando... era realmente impressionante! Trabalhava apenas com três homens e um rapaz e a praça era mais bem-cuidada com eles do que tinha sido, anteriormente, com seis. Ganhou várias vezes o primeiro lugar com suas ervilhas-de-cheiro. Atualmente está aposentado.

— Como eu — disse Sir Henry.

— Mas ainda faz alguns trabalhos, quando gosta das pessoas.

— Ah! — disse Sir Henry —, também igual a mim. É exatamente o que estou fazendo agora... trabalhando para ajudar um velho amigo.

— Dois velhos amigos.

— Dois?

Sir Henry olhou um pouco espantado.

— Suponho que tenha se referido ao sr. Jefferson — disse Miss Marple. — Mas não estava pensando nele. Estava pensando no coronel e na sra. Bantry.

— Ah, sim, é verdade. — E de modo abrupto: — Por que a senhora se referiu há pouco à sra. Bantry, no início da conversa, como "coitada de minha amiga"?

— Bem... Ela não começou ainda a avaliar direito a situação. Eu vejo melhor porque tenho mais experiência. Sabe, Sir Henry, parece-me que há uma grande possibilidade de estarmos diante daquela espécie de crime que *nunca* é esclarecido. Como os assassinatos da estrada de Brigton. E se isso acontecer será um desastre para os

Bantry. O coronel Bantry é realmente de uma sensibilidade fora do comum. Reage muito rapidamente à opinião pública. Durante algum tempo, não notará, mas pouco a pouco irá percebendo. Uma descortesia ali, uma desconsideração acolá, um convite recusado, desculpas vagas etc. Pouco a pouco, se abaterão sobre ele e então se recolherá à sua concha e se tornará terrivelmente mórbido e infeliz.

— Deixe-me ver se realmente a compreendi. A senhora quer dizer que, por ter sido o cadáver encontrado em sua casa, as pessoas pensarão que *ele* tem algo a ver com isso?

— É claro que sim! Não tenho a menor dúvida de que já estarão falando nisso. E dirão ainda mais coisas. As pessoas tratarão os Bantry com desprezo e os evitarão. Eis por que a verdade deve ser estabelecida e por que vim para cá com a sra. Bantry. Uma acusação aberta é uma coisa, uma situação muito fácil para um soldado enfrentar. Ele ficará indignado mas terá uma chance de lutar. Mas esses boatos *ao pé do ouvido* o arrasarão... destruirão a ambos. Temos, portanto, Sir Henry, de descobrir a verdade.

— Não se tem nenhuma ideia de como aquele corpo foi parar na casa do coronel? Deve haver uma explicação para isso. Alguma ligação.

— Certamente.

— A moça foi vista aqui pela última vez cerca das 22h40. Por volta da meia-noite, conforme o laudo médico, ela estava morta. Gossington está a trinta quilômetros daqui. A estrada de 25 quilômetros até entrar na principal é muito boa. Um bom carro poderia fazer esse percurso em menos de meia hora. Praticamente, qualquer carro poderia fazer o trajeto numa média de 35 minutos. Mas por que alguém a mataria aqui e levaria o corpo para Gossington, ou a levaria para Gossington e a mataria lá? Isso é o que não sei explicar.

— É claro que não sabe, pois não foi o que aconteceu.

— A senhora quer dizer que foi estrangulada por alguém que saiu com ela de carro e depois resolveu jogá-la dentro da primeira casa que encontrou?

— Não penso nada disso. Acho que havia um plano preconcebido. O que aconteceu foi que o plano não deu certo.

Sir Henry a encarou.

— Por que o plano não deu certo?

Miss Marple respondeu num tom explicativo:

— Acontecem coisas curiosas, não é? Se eu dissesse que esse plano particular saiu errado porque os seres humanos são muito mais vulneráveis e sensíveis do que se pensa, não pareceria sensato, não é? No entanto, essa é a razão por que acredito... e...

Interrompeu-se.

— Ali está a sra. Bantry.

Capítulo 9

A sra. Bantry estava com Adelaide Jefferson. Ao se aproximar de Sir Henry, exclamou:

— O *senhor*?

— Sim, eu mesmo — respondeu Sir Henry, tomando as mãos da sra. Bantry e apertando-as calorosamente. — Permita-me que lhe diga como me aflige tudo o que está acontecendo, sra. B.

— *Não me chame de sra. B!* — disse a sra. Bantry mecanicamente e continuou. — Arthur não veio conosco. Ele está levando tudo muito a sério. Miss Marple e eu viemos aqui para investigar. O senhor conhece a sra. Jefferson?

— Oh, sim, naturalmente. Apertaram-se as mãos.

— Esteve com meu sogro? — perguntou Adelaide Jefferson.

— Sim, estive.

— Ótimo. Estamos preocupados com ele. Foi um terrível golpe.

— Vamos para o terraço tomar alguma coisa e conversar um pouco — convidou a sra. Bantry.

Saíram os quatro e foram juntar-se a Mark Gaskell, que estava sozinho, na extremidade do terraço.

Após algumas observações desconexas e a chegada das bebidas, a sra. Bantry foi direto ao assunto, com seu gosto habitual pela ação direta.

— Podemos conversar sobre isso, não podemos? Quero dizer, somos velhos amigos, com exceção de Miss Marple, que é especialista em crimes. E ela quer ajudar.

Mark Gaskell olhou para Miss Marple um tanto perplexo.

— A senhora escreve contos policiais?

As pessoas mais inverossímeis, sabia ele, escreviam contos policiais. E Miss Marple, com suas roupas de solteirona fora da moda, parecia uma pessoa singularmente fora do comum.

— Oh, não, não tenho inteligência suficiente para *isso*.

— Ela é maravilhosa — disse a sra. Bantry impaciente. — Não posso explicar agora, mas ela é. Agora, Addie, quero saber de tudo. Como era realmente essa moça?

—— Bem... — Adelaide Jefferson fez uma pausa, olhou para Mark e sorriu. — Você é tão direta! — disse.

— Você gostava dela?

— Não, claro que não.

— Como era ela exatamente?

A sra. Bantry passou a interrogar Mark Gaskell, que respondeu cuidadosamente.

— Uma aventureira comum, uma caçadora de fortunas, que conhecia sua arte. E enfiou suas garras no velho Jeff.

Ambos chamavam o sogro de Jeff.

"Sujeito indiscreto. Não precisava ser tão franco", pensava Sir Henry.

Ele sempre desaprovara algumas das atitudes de Mark Gaskell. Era um homem simpático, mas não merecia confiança. Falava demais e de vez em quando se gabava. Não era digno de confiança, pensava Sir Henry. Às vezes, se perguntava se Jefferson não acharia o mesmo.

— Mas o senhor não podia fazer nada a esse respeito? — perguntou a sra. Bantry.

— Poderíamos ter feito, se tivéssemos descoberto a tempo — respondeu Mark secamente, lançando um olhar para Adelaide, que corou ligeiramente. Havia um quê de censura naquele olhar.

— Mark acha que eu poderia ter percebido o que estava acontecendo — disse Adelaide.

— Você deixou o velho muito só, Addie. As lições de tênis e tudo o mais.

— Bem, eu precisava fazer um pouco de exercício — falou num tom de desculpa. — De qualquer maneira, nunca poderia sonhar...

— É claro — disse Mark — que nenhum de nós poderia jamais ter sonhado. Jefferson foi sempre muito sensato, um velho que conservava sempre a cabeça no lugar.

Miss Marple deu uma contribuição para a conversa.

— Os cavalheiros — disse ela, com sua maneira de velha solteirona de se referir ao sexo oposto, como se se tratasse de um animal selvagem — nem sempre têm a cabeça tão assentada quanto parecem.

— Eu diria que a senhora tem razão — disse Mark. — Infelizmente, Miss Marple, não nos demos conta disso. Nós nos perguntávamos o que o velho teria visto naquela criaturinha insípida e sedutora. Mas nos conformávamos por vê-lo alegre e feliz. Achávamos que não havia nenhum perigo da parte dela. Nenhum perigo! Como eu gostaria de lhe ter torcido o pescoço!

— Mark — disse Addie —, você precisa *realmente* ter cuidado com o que diz.

Ele sorriu para ela insinuantemente.

— É, acho que preciso. Caso contrário vão pensar que realmente lhe torci o pescoço. Oh, de qualquer maneira, suponho que eu esteja sob suspeita. Se alguém teria interesse em ver aquela moça morta seria Addie e eu.

— Mark — gritou a sra. Jefferson, meio sorrindo e meio zangada —, você realmente não *deve* falar assim.

— Está bem, está bem. — disse Mark cordato. — Mas gosto de dizer o que penso. Cinquenta mil libras é o que nosso caro sogro estava querendo doar àquela gata manhosa e imbecil.

— Mark, não fale assim... ela está morta.

— Sim, ela está morta, pobre-diabo. E, afinal de contas, por que não usaria as armas que a natureza lhe deu? Quem sou eu para julgar? Eu mesmo já fiz um bocado de bobagens na vida. Não, vamos admitir que Ruby tivesse o direito de conspirar e planejar e que nós tenhamos sido ingênuos o bastante para não entendermos logo sua trama.

— O que foi que o senhor disse quando Conway o informou de sua disposição de adotar a moça? — perguntou Sir Henry.

Mark estendeu as mãos.

— O que é que poderia dizer? Addie, sempre bancando uma senhora, manteve admiravelmente seu autocontrole. Encarou tudo impassivelmente. Eu me esforcei para seguir seu exemplo.

— Eu teria feito um escândalo — disse a sra. Bantry.

— Bem, falando francamente, não tínhamos o direito de criar caso. O dinheiro era de Jeff. Nós não somos seus parentes consanguíneos. Ele sempre nos ajudou muito. Não havia nada a fazer a não ser engolir essa história. — Mark acrescentou pensativo; — Mas nós não gostávamos da pequena Ruby.

— Se ao menos fosse outro tipo de menina — disse Adelaide.

— Jeff tem dois netos, sabe. Se fosse um deles, bem, seria compreensível. — E acrescentou com uma sombra de ressentimento:

— E sempre adorou Peter.

— É claro — disse a sra. Bantry. — Eu sempre soube que Peter era filho de seu primeiro marido... mas havia esquecido. Sempre o imaginava como neto do sr. Jefferson.

— Eu também — disse Adelaide. Sua voz tinha um tom que fez Miss Marple virar-se na cadeira e olhar para ela.

— A culpa foi de Josie, que a trouxe para cá — disse Mark.

— Oh, mas você não quer dizer que ela tenha feito de propósito. Ora essa, você sempre gostou de Josie.

— Sim, gostava dela. Sempre a tive em conta de uma boa pessoa.

— Foi meramente casual a vinda de Ruby para cá.

— Josie tem uma boa cabecinha em cima do pescoço, minha cara.

— Sim, mas ela não poderia prever...

— Não, é claro, não poderia prever — disse Mark. — Admito. Eu não a estou acusando de ter planejado tudo. Mas não tenho dúvida de que viu para onde soprava o vento muito antes de nós e ficou quietinha.

— Não acho que a possamos censurar por isso — disse Adelaide com um suspiro.

— Oh, não podemos censurar ninguém por coisa alguma — disse Mark.

— Ruby Keene era muito bonita? — perguntou a sra. Bantry.

Mark olhou para ela.

— Pensei que a senhora a tivesse visto...

— Oh, sim — disse a sra. Bantry, imediatamente. — Mas tinha sido estrangulada e não se poderia dizer... — teve um calafrio.

Mark disse pensativo:

— Não acho que fosse realmente bonita. Certamente não seria atraente sem maquiagem. Um rostinho fino e miúdo, pouco queixo, dentes para dentro, uma espécie de nariz indefinível...

— Parece repugnante — disse a sra. Bantry.

— Oh, não, nada disso. Como disse, com pintura conseguia um bom efeito, não acha, Addie?

— Sim, parecia uma caixa de chocolate, um tipo bonequinha. Tinha lindos olhos azuis.

— É verdade. Um olhar inocente de criança. E os cílios bem escurecidos ressaltavam ainda mais o azul de seus olhos. Seus cabelos eram platinados. Realmente, quando penso naqueles cabelos, naquele colorido, embora artificial... Tinha uma espécie de semelhança espúria com Rosamund, minha esposa. Ouso afirmar que foi isso que chamou a atenção do velho para ela.

Mark suspirou.

— Bem, é uma história triste. O trágico de tudo isso é que Addie e eu não podemos deixar de estar alegres com a sua morte...

Ele reprimiu um protesto de sua cunhada.

— Não adianta, Addie. Eu sei como você se sente. Sinto a mesma coisa. E não vou fingir! Mas, ao mesmo tempo, você sabe o que quero dizer. Realmente, estou muito mais preocupado com Jeff. Isso o chocou horrivelmente. Eu...

Ele se interrompeu e olhou para a porta do salão que se abria para o terraço.

— Ora, vejam quem está ali. Que mulher inescrupulosa é você, Addie.

A sra. Jefferson olhou por cima do ombro, fez uma exclamação e se levantou, corando ligeiramente. Caminhou apressadamente ao longo do terraço e se dirigiu a um senhor de idade madura, com um rosto moreno e fino, que olhava vagamente ao redor, como se estivesse à procura de alguém.

— Não é Hugo McLean? — perguntou a sra. Bantry.

— Exato, Hugo McLean. Também conhecido por Willian Dobbin.

— Ele é muito fiel, não é? — murmurou a sra. Bantry.

— De dedicação canina — disse Mark. — Basta um gesto de Addie e Hugo vem correndo de qualquer lugar do mundo. Alimenta sempre a esperança de que ela o esposará um dia, e tenho quase certeza de que isso irá acontecer.

Miss Marple olhou sorridente para eles.

— Compreendo. Um romance?

— E nos moldes dos mais antigos — assegurou-lhe Mark. — Já dura anos. Addie é dessa espécie de mulher.

E acrescentou pensativo:

— Acho que Addie lhe telefonou esta manhã. Ela não me disse mas é o que eu suponho.

Edwards, vindo pelo terraço, aproximou-se discretamente de Mark e lhe disse:

— Perdoe-me, senhor. O sr. Jefferson pede-lhe o obséquio de ir vê-lo.

— Agora mesmo.

Levantou-se.

— Até mais tarde — disse, fazendo um gesto de cabeça, e se retirou.

Sir Henry inclinou-se para Miss Marple e lhe perguntou:

— Então, qual é sua opinião sobre os principais beneficiários do crime?

Miss Marple, olhando pensativa para Adelaide Jefferson, que conversava com seu amigo, respondeu:

— Eu diria que é uma mãe muito extremosa.

— Realmente — disse a sra. Bantry. — Vive para Peter.

— É a espécie de mulher — disse Miss Marple — que todo mundo aprecia. O tipo da mulher que se casará quantas vezes quiser. Não quero dizer com isso que seja uma mulher vulgar. É muito diferente.

— Compreendo o que a senhora quer dizer.

— O que vocês dois querem dizer — entoou a sra. Bantry — é que ela é uma boa ouvinte. Sir Henry deu uma risada.

— E Mark Gaskell? — perguntou.

— Ah — disse Miss Marple. — Um sujeito esperto.

— Algum paralelo na aldeia, por favor?

— O sr. Cargill, construtor. Ele engana um bocado de gente conseguindo com isso fazer serviços em suas casas, serviços que nunca imaginavam. E como cobra por isso! Mas é sempre capaz de explicar suas contas. Um sujeito sabido. Casou-se com o dinheiro. Assim é também o sr. Gaskell, a meu ver.

— A senhora não gosta dele.

— Gosto, sim. A maioria das mulheres gostaria. Mas nem por isso ele me engana, é uma pessoa muito atraente. Mas, talvez, um pouco imprudente, para estar dizendo o que diz.

— Imprudente, eis a palavra — disse Sir Henry. — Mark se meterá em dificuldades se não tiver cuidado.

Um jovem moreno e alto, vestido com um terno de flanela, subia os degraus do terraço e se deteve por alguns instantes, observando Adelaide Jefferson e Hugo McLean.

— Aquele é a incógnita que poderíamos descrever como parte interessada. É o instrutor de tênis e de dança.

Raymond Starr, par de Ruby Keene — informou Sir Henry obsequioso.

Miss Marple o observava com interesse.

— Ele é muito bonito, não é?

— Suponho que sim.

— Não seja ridículo, Sir Henry — disse a sra. Bantry —, não se trata de supor. Ele é bonito.

— A sra. Jefferson não disse que está tomando lições de tênis? — indagou Miss Marple.

— Você vê alguma implicação nisso, Jane?

Miss Marple não teve condições de responder a essa pergunta direta. O garoto Peter Carmody atravessou o terraço e juntou-se a eles. Dirigindo-se a Sir Henry, disse:

— O senhor é detetive também? Eu o vi conversando com o inspetor. Aquele gordo não é o inspetor?

— Exato, meu filho.

— E alguém me disse que o senhor era um detetive muito importante de Londres. Chefe da Scotland Yard ou coisa parecida.

— O chefe da Scotland Yard é em geral uma completa nulidade nos livros, não é?

— Oh, não, não nos dias de hoje. Rir da polícia é coisa fora de moda. O senhor já sabe quem é o assassino?

— Sinto muito, mas ainda não.

— Você está se divertindo com isso, não é, Peter? — perguntou a sra. Bantry.

— Ah, sim, estou. É uma novidade, não é? Estou atrás de alguma pista, mas não tive sorte. Ainda assim consegui um *souvenir*. Querem ver? Bobagem, mamãe queria que eu o jogasse fora. Os pais às vezes chegam a ser irritantes.

Tirou do bolso uma pequena caixa de fósforo. Abrindo-a, mostrou o precioso conteúdo.

—Vejam, *é uma unha. A unha dela.* Vou escrever aqui em cima: "Unha da mulher assassinada" e levar para a escola. É uma boa lembrança, não acham?

— Onde você a achou? — perguntou Miss Marple.

— Bem, tive um bocado de sorte, sabe? É claro que não sabia que ela ia ser assassinada. Ruby prendeu sua unha no xale de Josie e a quebrou. Mamãe a cortou e me deu para jogar na cesta do lixo. Eu ia jogar fora mas em vez disso coloquei no bolso e esta manhã me lembrei e fui ver se ainda estava aqui e estava, de modo que a guardei como um *souvenir*.

— Repugnante — disse a sra. Bantry.

— A senhora acha? — perguntou Peter polidamente.

— Conseguiu outros *souvenirs*? — perguntou Sir Henry.

— Bem, eu não sei. Consegui algo que talvez seja...

— Explique-se, meu jovem.

Peter olhou para ele pensativo. Em seguida, mostrou um invólucro. De dentro retirou um pedaço de cadarço marrom.

— É um pedaço do cadarço do sapato daquele rapaz, George Bartlett — explicou. — Eu vi seus sapatos do lado de fora da porta esta manhã e apanhei um pedaço só para o caso...

— Para o caso de quê?

— No caso de que pudesse ser o assassino, é claro. Ele foi a última pessoa que a viu e isso é muito suspeito. Está quase na hora de jantar, não é? Estou com uma fome danada. Acho sempre longo demais o intervalo entre o chá e o jantar. Ah, lá está, tio Hugo. Não sei por que mamãe o chamou. Ela sempre faz isso quando está em apuros. Josie está chegando. Ei, Josie!

Josephine Turner, chegando pelo terraço, parou e olhou um tanto espantada ao ver a sra. Bantry e Miss Marple.

— Como vai, srta. Turner? — disse a sra. Bantry afavelmente. — Viemos fazer algumas investigações!

Josie lançou um olhar de culpa ao redor, baixou a voz e disse:

— É horrível. Ninguém sabe ainda. Quero dizer, não está ainda nos jornais. Acho que todo mundo vai me fazer perguntas e é tão embaraçoso. Não sei o que dizer.

Seu olhar fixou-se em Miss Marple, que disse:

— É, será lamentavelmente uma situação muito difícil para a senhora.

Josie animou-se com essa demonstração de simpatia.

— Sabe, o sr. Prestcott recomendou-me que não falasse nada sobre o caso. E ele tem razão, mas todo mundo vem me fazer perguntas e a gente não pode ser grosseira com as pessoas, não é? O sr. Prestcott me disse que deseja que eu seja capaz de enfrentar tudo como de costume, mas não soou nada gentil. Preciso, portanto, fazer o melhor possível. E realmente não vejo por que todos acham de me censurar.

— A senhora não se incomodaria se lhe fizesse uma pergunta muito franca, srta. Turner? — perguntou Sir Henry.

— Oh, faça a pergunta que o senhor quiser — disse Josie sem muita sinceridade.

— Houve algum desentendimento entre a senhora e a sra. Jefferson e o sr. Gaskell sobre tudo isso?

— O senhor se refere ao crime?

— Não, não me refiro ao assassinato.

Josie estava de pé, torcendo os dedos. Respondeu um pouco mal-humorada.

— Bem, há e não há, se compreende o que quero dizer. Nenhum deles *disse* coisa alguma. Mas acho que me culpam pelo fato de o sr. Jefferson ter gostado tanto de Ruby. Mas não foi culpa minha, foi? Essas coisas são possíveis e eu nunca pensei, antes, nem por um momento, que isso pudesse acontecer. Eu... eu fiquei estarrecida.

Suas palavras saíram com o que parecia uma inegável sinceridade.

— Não tenho a menor dúvida de que tenha ficado — disse Sir Henry afavelmente. — Mas uma vez que já tinha acontecido?

Josie levantou o queixo.

— Bem, foi uma sorte e tanto, não foi? Todo mundo tem direito a ter às vezes um pouco de sorte.

Ela correu o olhar pela mesa com um ar desafiador e em seguida atravessou o terraço e entrou no hotel.

— Não acho que ela tenha culpa — disse Peter judiciosamente.

Miss Marple murmurou:

— É interessante, aquele pedaço de unha. Isso me preocupa muito. Como explicar suas unhas?

— Unhas? — perguntou Sir Henry.

— As unhas da morta — explicou a sra. Bantry. — Eram muito curtas e, agora que Jane disse isso, é claro que era um pouco inverossímil. Uma moça como ela gosta de unhas compridas.

— Mas, naturalmente — disse Miss Marple —, se ela cortou uma, deveria ter cortado todas as demais para igualar. Os policiais não teriam encontrado aparas de unhas no seu quarto?

Sir Henry olhou curioso para ela.

— Perguntarei ao inspetor Harper quando ele voltar.

— Voltar de onde? — perguntou a sra. Bantry. — Não foi a Gossington, foi?

Sir Henry respondeu gravemente:

— Não, aconteceu outra tragédia. Um carro em chamas numa pedreira...

Miss Marple prendeu a respiração.

— Havia alguém no carro?

— Lamentavelmente, parece que sim.

— Acho que deve ser a garota bandeirante que estava desaparecida... Patience... não, Pamela Reeves — disse Miss Marple pensativa.

Sir Henry olhou para ela.

— Como é que a senhora pode pensar uma coisa dessas, Miss Marple?

Miss Marple corou um pouco.

— Bem, foi noticiado que ela desapareceu de sua casa desde ontem à noite. E sua casa era no Daneleigh Vale, que não era muito longe dali. E foi vista pela última vez na reunião de bandeirantes em Danebury Downs. Tudo muito perto. Na realidade ela tinha de passar por Danemouth para ir para casa. Portanto, tudo parece ajustar-se, não é? Isto é, parece que ela poderia ter visto ou talvez ouvido algo que ninguém devia ver ou ouvir. Se assim foi, é claro, ela seria uma fonte de perigo para o assassino e teria de ser... afastada. Duas coisas como essas devem estar relacionadas, não acha?

Sir Henry disse, deixando cair a voz:

— A senhora pensa... num segundo assassinato?

— Por que não? — seu olhar tranquilo encontrou-se com o dele. — Quem comete um crime não teme cometer um segundo, teme? E até um terceiro.

— Um terceiro? A senhora acha que vai haver um terceiro?

— Imagino apenas essa possibilidade... Sim, acho que seria bastante possível.

— Miss Marple — disse Sir Henry —, a senhora me assusta. A senhora sabe quem vai ser assassinado?

—Tenho uma ideia e bem-fundamentada — respondeu.

Capítulo 10

I

O inspetor Harper olhava para o montão de ferro queimado e retorcido. Um carro incendiado era sempre uma cena chocante, mesmo sem a horrenda carga de um cadáver tostado e enegrecido.

A pedreira de Venn era um local distante, longe de qualquer habitação. Embora na realidade só distasse três quilômetros de Danemouth, o acesso era feito por uma dessas estradas estreitas, tortuosas e cheias de buracos, pouco mais do que uma trilha de carroças que conduzia exclusivamente à própria pedreira. Havia muito tempo que a pedreira tinha sido abandonada e as únicas pessoas que ainda transitavam por ali eram visitantes casuais em busca de amoras silvestres. Como lugar para se desfazer de um carro era ideal. O veículo poderia ter ficado ali semanas sem ser visto, não fora o acaso de o brilho no céu ter sido observado pelo lavrador Albert Biggs, a caminho de seu trabalho.

Albert Biggs estava ainda ali, embora tudo que tivesse a contar já tivesse sido ouvido, mas continuava a repetir a história eletrizante com tantos enfeites quantos lhe ocorressem.

— Ora, arregalei os olhos e me perguntei o que seria aquilo, era um brilho lá no céu. Poderia ser uma fogueira, mas quem estaria acendendo fogueira na pedreira de Venn? Não, deve ser um grande incêndio. E perto de Venn, é lá, certamente. Fiquei sem saber o que devia fazer, mas nesse momento, vendo o policial Gregg que se aproximava de bicicleta, eu lhe contei o que tinha visto. Àquela altura, já estava se apagando tudo, mas eu lhe mostrei onde era. É naquela direção, disse, um grande brilho no céu. Talvez seja um montão de palha. Algum vagabundo teria ateado fogo nela. Mas nunca imaginei que pudesse ser um carro... e muito menos que pudesse haver alguém se queimando dentro dele. É realmente uma tragédia.

A polícia de Glenshire estivera ocupadíssima. Tirara fotografias e a posição do carro incendiado tinha sido cuidadosamente anotada antes que o médico da polícia começasse sua própria investigação.

Este último apresentou-se a Harper, sacudindo a cinza escura das mãos, com os lábios cerrados e expressão carrancuda.

— Um serviço bem-feito — disse. — Parte de um pé e de um sapato, é tudo que escapou. Pessoalmente não saberia dizer nesse momento se o corpo é de homem ou de mulher, embora tenhamos alguns indícios dos ossos. Mas o calçado é daquele tipo de alças, muito usado por colegiais.

— Há uma jovem do município vizinho desaparecida — disse Harper—, muito perto daqui. De mais ou menos 16 anos de idade.

— Então é provável que seja ela — disse o médico. — Pobre criança.

— Ela não estava viva quando... — ia perguntando Harper apreensivo.

— Não, não, não creio. Não há nenhum sinal de que tenha tentado sair. O corpo estava simplesmente atirado no assento, com os pés para fora. Eu diria que estava morta quando foi posta ali. Em seguida, incendiaram o carro numa tentativa de eliminar qualquer prova.

Fez uma pausa e perguntou:

— Ainda precisam de mim?

— Acho que não, obrigado.

— Está bem. Vou andando — disse o médico e saiu andando na direção de seu carro.

Harper se dirigiu para onde um de seus sargentos, um homem especializado em assuntos de carro, estava trabalhando. Ao ver Harper, o sargento levantou a vista.

— Um caso muito simples, inspetor. Gasolina derramada em cima do carro e fogo ateado deliberadamente. Há três latas vazias ali na cerca.

Um pouco mais adiante, estava outro homem arrumando cuidadosamente alguns objetos retirados do local. Havia um sapato de couro preto chamuscado e com ele alguns fragmentos de material tostado e escurecido. Quando Harper aproximou-se, seu subordinado voltou-se para ele e exclamou:

— Olhe isto, inspetor. Parece que responde alguma coisa.

Harper tomou o pequeno objeto em suas mãos.

— Um botão de uniforme de bandeirante?

— Sim, senhor.

— É verdade — disse Harper. — Encaixa-se perfeitamente.

Homem digno e de bom coração, o inspetor Harper começou a se sentir mal. Primeiro Ruby Keene e agora esta criança, Pamela Reeves.

E disse para si mesmo, como já dissera antes:

"O que está acontecendo com Glenshire?"

Sua providência imediata foi telefonar para o seu próprio chefe de polícia e depois entrar em contato com o coronel Melchett. O desaparecimento de Pamela Reeves tinha acontecido em Radfordshire, embora seu corpo tivesse sido encontrado em Glenshire.

A tarefa seguinte que tinha diante de si não era nada agradável: levar a triste notícia aos pais de Pamela Reeves...

II

O inspetor Harper contemplou a fachada de Braeside ao tocar a campainha da porta principal.

Uma pequena vila, com um belo jardim de mais ou menos um acre e meio de dimensão. O tipo do lugar que vinha surgindo profusamente por todo o interior nos últimos vinte anos. constituído por militares reformados, funcionários aposentados, gente assim. O pior que se poderia dizer deles era que eram um bocado tolos. Gastar tanto dinheiro que poderia ser empregado na educação dos filhos. Não é o tipo de pessoas que a gente pudesse ligar a tragédias. E agora uma tragédia chegava até eles. Harper suspirou.

Foi levado a uma sala em que um senhor cerimonioso, de bigode cinza, e uma senhora, cujos olhos estavam vermelhos de tanto chorar, se levantaram. A sra. Reeves exclamou ansiosa:

— O senhor tem notícias de Pamela?

Em seguida, recuou, como se o olhar de comiseração do inspetor a tivesse atingido como um golpe.

— Lamento ter de lhes pedir que se preparem para más notícias.

— Pamela... — balbuciou a senhora.

O major Reeves perguntou rispidamente:

— Aconteceu alguma coisa... à minha filha?

— Sim, senhor.

— O senhor quer dizer que está morta?

— Oh, não, não — exclamou a sra. Reeves e irrompeu em lágrimas.

O major Reeves passou o braço pela cintura da esposa e a apertou contra si. Seus lábios tremiam mas olhava indagadoramente para Harper, que inclinara a cabeça.

— Acidente?

— Não propriamente, major Reeves. Foi encontrada num carro incendiado que fora abandonado numa pedreira.

— Num carro? Numa pedreira?

Sua perplexidade era evidente.

A sra. Reeves sucumbiu totalmente e se deixou cair num sofá, soluçando violentamente.

— O senhor gostaria que eu aguardasse alguns momentos? O major Reeves perguntou ainda com rispidez:

— Que quer dizer com isso? Trata-se de um crime?

— É o que tudo indica, senhor. Eis por que gostaria de lhe fazer algumas perguntas, se não for muito penoso para o senhor.

— Não, não, o senhor está certo. Não se pode perder tempo, se for verdade o que está sugerindo. Mas não posso acreditar. Quem poderia querer fazer mal a uma criança como Pamela?

— O senhor já comunicou a polícia local as circunstâncias do desaparecimento de sua filha — disse o inspetor Harper impassível. — Ela saiu para assistir a uma reunião de bandeirantes e os senhores a esperavam para o jantar, não é verdade?

— É.

— Devia voltar de ônibus?

— Sim.

— Acho que, de acordo com a informação de suas colegas de associação, quando terminou a reunião, Pamela disse que ia a Danemouth, à Woolworth's, e dali tomaria um ônibus para casa. O senhor acha que esse procedimento era normal?

— Oh, sim, Pamela gostava muito de ir à Woolworth's. Ia muitas vezes a Danemouth para fazer compras. O ônibus passa pela estrada principal, a apenas uns quinhentos metros daqui.

— Não sabe se ela teria outros planos?
— Nenhum.
— Não teria ido encontrar-se com alguém em Danemouth?
— Não, tenho certeza de que não. Ela o teria dito. Nós a esperávamos para o jantar. Foi por isso que, quando ficou tarde e ela não aparecia, resolvi telefonar para a polícia. Não era seu costume não voltar para casa.
— Sua filha não tinha amigos indesejáveis... quer dizer, amigos de quem o senhor não gostava?
— Não, nunca tive nenhuma dificuldade dessa espécie.
A sra. Reeves disse entre lágrimas:
— Pam era apenas uma menina. Era muito criança para sua idade. Gostava de esporte e tudo o mais. Não era precoce.
— O senhor conhece George Bartlett, hóspede do Majestic Hotel, em Danemouth?
O major Reeves olhou-o espantado.
— Nunca ouvi falar nele.
— Não crê que sua filha o conhecesse?
— Tenho absoluta certeza de que não o conhecia.
E acrescentou imediatamente.
— E como é que ele entra no caso?
— É o dono do Minoan 14 em que foi encontrado o corpo de sua filha.
— Mas então ele deve... — gritou a sra. Reeves.
O inspetor Harper a interrompeu prontamente:
— Ele comunicou o desaparecimento de seu carro hoje pela manhã. Ontem, na hora do almoço, estava no pátio do Majestic Hotel. Alguém poderia tê-lo roubado.
— Mas ninguém viu quem foi?
O inspetor Harper meneou a cabeça.
— Dezenas de carros entram e saem sem parar. E o Minoan 14 é uma das marcas mais comuns.
— Mas os senhores estão fazendo alguma coisa? — perguntou a sra. Reeves. — Estarão procurando o... demônio que fez uma coisa dessas? Minha filhinha, oh,

minha filhinha! Ela não foi queimada viva, foi? Oh, Pam. Pam...!

— Ela não sofreu, sra. Reeves. Asseguro-lhes que já estava morta quando o carro foi incendiado.

— Como foi morta? — perguntou Reeves tenso e abatido.

— Não sabemos — respondeu Harper, lançando-lhe um olhar significativo. — O fogo destruiu todo e qualquer indício.

E voltou-se para a sra. Reeves, prostrada no sofá.

— Creia-me, sra. Reeves, que estamos fazendo tudo ao nosso alcance. É uma questão de provas. Mais cedo ou mais tarde, encontraremos alguém que tenha visto ontem sua filha em Danemouth e com quem ela estava. Isso requer tempo. Teremos dezenas, centenas de informações sobre uma jovem bandeirante que foi vista aqui, ali e em toda parte. É uma questão de seleção e de paciência... mas, no fim, descobriremos a verdade, não se preocupe com isso.

— Onde... onde ela está? Posso ir vê-la? — perguntou a sra. Reeves.

O inspetor Harper olhou novamente para o major Reeves.

— O médico está cuidando de tudo. Sugeriria que seu marido viesse comigo agora para preencher algumas formalidades. Enquanto isso, procure lembrar-se de tudo que Pamela possa ter dito... de alguma coisa em que talvez, no momento, a senhora não tivesse prestado atenção, mas que poderia lançar alguma luz sobre os acontecimentos. A senhora compreende o que quero dizer... às vezes uma única palavra ou frase. É a melhor maneira de nos ajudar.

Ao se dirigirem para a porta, Reeves, apontando para uma fotografia, disse:

— É ela ali.

Harper a contemplou atentamente. Era um grupo de hóquei. Reeves apontou para Pamela, que estava no centro do time.

Uma linda garota, pensou Harper, ao ver o rosto sério da menina de trança.

Sua boca se contraiu numa linha rígida quando pensou no corpo carbonizado no carro.

Jurou para si mesmo que o assassino de Pamela Reeves não ficaria entre os mistérios insolúveis de Glenshire.

Ruby Keene, admitia intimamente, poderia ter criado essa situação para si própria, mas Pamela Reeves era um caso totalmente diferente. Uma linda menina, talvez a mais bonita que já tinha visto. Não descansaria até pôr a mão no homem ou na mulher que a matara.

Capítulo 11

Um ou dois dias depois, o coronel Melchett e o inspetor Harper estavam de frente um para o outro à mesa de trabalho do primeiro. Harper viera a Much Benham para conferenciar com Melchett.

— Bem, sabemos em que pé estamos... ou melhor, não estamos! — disse Melchett tristemente.

— Onde não estamos expressa melhor a realidade, coronel.

— Temos duas mortes para investigar — disse Melchett. — Dois assassinatos. Ruby Keene e a mocinha Pamela Reeves. Só restou o suficiente para identificá-la, pobrezinha. Aquele sapato que escapou de ser queimado foi confirmado como sendo dela pelo pai, e este botão do uniforme de bandeirante. Uma coisa diabólica, inspetor.

O inspetor Harper disse com toda a tranquilidade:

— Eu diria que você está com a razão.

— É um consolo termos quase certeza de que ela foi morta antes de incendiarem o carro. A maneira como estava estendida no banco o demonstra. Provavelmente foi golpeada na cabeça, pobrezinha.

— Ou talvez estrangulada — completou Harper. Melchett olhou para ele de modo penetrante.

— Você acha?

— Bem, coronel, há assassinos desse tipo.

— Eu sei. Já estive com os pais dela. A mãe da infeliz garota está desvairada. É de fazer dó. O nosso problema é saber se os dois crimes estão interligados.

— Eu diria que sim.

— Eu também.

O inspetor marcava os pontos com os dedos.

— Pamela Reeves esteve presente a uma reunião de bandeirantes em Danebury Downs. Suas companheiras afirmaram que tudo decorreu normal e alegremente. Não voltou com as três companheiras pelo ônibus para Medchester. Disse-lhes que ia à Woolworth's, em Danemouth, e dali tomaria o ônibus para casa. A estrada principal que conduz a Danemouth faz uma grande curva para o interior. Pamela Reeves tomou um atalho pelos dois campos e uma trilha que a conduziria a Danemouth perto do Majestic Hotel. A trilha, na realidade, passa pelo hotel do lado oeste. É possível, portanto, que tivesse ouvido ou visto alguma coisa, algo concernente a Ruby Keene, o que a tornaria uma ameaça para a segurança do assassino. Digamos, por exemplo, que ela o ouvisse combinando de se encontrar com Ruby Keene às onze da noite. O assassino constata que a garota o teria escutado e, portanto, tem de silenciá-la.

— Presume-se assim, Harper, que o crime de Ruby Keene foi premeditado e não espontâneo — disse o coronel Melchett. O inspetor Harper concordou.

— Eu creio que foi, coronel. As aparências parecem indicar o contrário, súbita violência, um acesso de paixão ou de ciúme, mas começo a crer que não foi assim. De outro modo, não posso ver como seria possível explicar a morte da garota Reeves. Se ela tivesse sido testemunha do crime, isso teria sido tarde da noite, por volta das onze horas. Ora, o que ela estaria fazendo pelo Majestic naquele momento? Às nove horas seus pais já estavam aflitos porque ela não voltara.

— A alternativa é de que teria ido encontrar-se com alguém em Danemouth, desconhecido de sua família e de seus amigos, e que sua morte nada tem a ver com a outra.

— Está certo, coronel, mas não acredito que tenha sido assim. Veja, até a velha Miss Marple acha que há uma conexão. Perguntou imediatamente se o corpo no carro incendiado seria o da bandeirante desaparecida. As velhas, às vezes, são assim. Astutas. Põem o dedo na ferida.

— Miss Marple já fez isso mais de uma vez — disse o coronel Melchett secamente.

— E, além disso, há o carro, que parece ligar sua morte definitivamente com o Majestic Hotel. Era o carro de George Bartlett.

Mais uma vez, os olhos dos dois homens se encontraram.

— George Bartlett? Quem sabe? Que é que acha?

Harper mais uma vez expôs seu ponto de vista metodicamente.

— Ruby Keene foi vista pela última vez com George Bartlett. Diz ele que ela subiu para o seu quarto (afirmação corroborada pelo encontro ali do vestido que estivera usando), mas não teriam acertado para sair juntos mais tarde? Não teriam discutido isso, digamos, antes do jantar, e Pamela Reeves por acaso os teria ouvido?

— Ele só comunicou o desaparecimento do carro na manhã seguinte — disse Melchett —, e estava extremamente vago a respeito disso, dizendo que não podia lembrar-se exatamente de quando o tinha visto pela última vez.

— Isso poderia ser muita esperteza, coronel. A meu ver, ou ele é um malandro querendo passar por ingênuo, ou então, bem, é realmente um simplório.

— Precisamos é do motivo — disse Melchett. — Pelo que sabemos, ele não teria qualquer motivo para matar Ruby Keene.

— Bem, é aí que estacamos toda vez. Motivo. Se não me engano, todas as informações vindas do Palais de Danse em Brixwell são negativas, não são?

— Inteiramente! Ruby Keene não tinha nenhum namorado especial. Slack esquadrinhou tudo. E, convenhamos, o Slack nesse ponto é extraordinário.

— Extraordinário, é a palavra.

— O que houvesse para investigar, ele investigaria. Mas não havia nada. Conseguiu uma lista de seus pares de dança mais frequentes. Todos checados e julgados corretos. Indivíduos inofensivos e todos em condições de apresentar álibis para aquela noite.

— Ah! — disse o inspetor Harper. — Álibis. É com eles que esbarramos.

Melchett olhou para ele seriamente.

— Pensa assim? Deixei essa parte da investigação com você.

— Sim. Coronel. Tudo foi feito. Pedimos, inclusive, nesse sentido, o auxílio de Londres.

— E então?

— O sr. Conway Jefferson pode achar que o sr. Gaskell e a jovem sra. Jefferson estejam bem de vida, mas essa não parece ser a realidade. Ambos estão realmente em dificuldades.

— É verdade?

— Absoluta, coronel. Como disse o sr. Conway Jefferson, ele fez uma considerável doação em dinheiro a seu filho e a sua filha quando se casaram. Mas isso foi há dez anos. O jovem sr. Jefferson tinha-se na conta de entendido em investimentos. Mas ele não investiu um tostão em nada, estava sem sorte e demonstrava menos discernimento do que outrora. Sua riqueza vinha decaindo dia a dia. Devo dizer que a viúva tem dificuldade para viver dentro de seu orçamento e para pagar uma boa escola para seu filho.

— Mas ela não pediu o auxílio de seu sogro?

— Não, coronel. Tanto quanto pude saber, ela vive com ele e assim não tem despesas de casa.

— E a saúde dele está de tal modo abalada, que não se espera que viva ainda muito.

— Exato, coronel. Agora, quanto ao sr. Mark Gaskell. É um aventureiro pura e simplesmente. Acabou com o dinheiro da esposa logo. Está atualmente metido numa enrascada. Precisa urgentemente de dinheiro, e muito dinheiro.

— Não posso dizer que tivesse simpatizado com ele — disse o coronel Melchett. — Um sujeito de aspecto selvagem, não é? E ele teria um motivo. Vinte e cinco mil libras era o que significava para ele afastar aquela moça de seu caminho. Sim, seria um motivo perfeito.

— Ambos teriam um motivo.

— Não estou pensando na sra. Jefferson.

— Não, coronel, sei que não está. E, de qualquer maneira, o álibi isenta a ambos. Eles não o poderiam ter feito. Só isso.

—Você conseguiu o roteiro detalhado dos movimentos deles naquela noite?

— Sim, consegui. Comecemos pelo sr. Gaskell. Jantou com o sogro e a cunhada e tomou café com eles depois, quando Ruby Keene chegou. Em seguida, disse que ia escrever umas cartas e saiu. Na realidade apanhou seu carro e foi dar uma volta pela praia. Confessou-me com toda a franqueza que não suportava ficar jogando bridge a noite toda. O velho adora bridge. Portanto, falou de cartas para se desculpar. Ruby Keene ficou com os outros. Mark Gaskell voltou quando ela estava dançando com Raymond. Depois da dança, Ruby veio e tomou um drinque com eles, depois saiu dançando com o jovem Bartlett, e Gaskell e os outros fizeram os pares e começaram a partida de bridge. Isso foi às 22h40, e ele ficou à mesa até depois da meia-noite. Isso é exato, coronel. Todos o confirmam. A família, os garçons, todo mundo. Portanto, não poderia ser ele o assassino. E o álibi da sra. Jefferson é o mesmo. Ela também não saiu da mesa. Eles estão fora, completamente fora.

O coronel Melchett inclinou-se para trás, batendo na mesa com um cortador de papel.

— Isto é, supondo-se que a moça tenha sido assassinada antes da meia-noite — disse o inspetor Harper.

— Foi o que Haydock disse. Ele é um sujeito muito confiável em suas opiniões técnicas. Quando diz uma coisa, é aquilo mesmo.

— Poderia haver razões... saúde, idiossincrasia física, ou outras coisas.

— Eu o consultarei sobre o assunto.

Melchett olhou de relance seu relógio, tirou o fone do gancho e pediu um número.

— Haydock deve estar em casa. E agora, suponhamos que Ruby tenha sido morta *depois* da meia-noite?

— Então poderia haver uma chance — respondeu Harper. — Depois dessa hora, há muita gente entrando e saindo. Suponhamos que Gaskell tenha pedido à moça que se encontrasse com ele lá fora, em algum lugar, digamos à 0h20. Ele se esgueirou por um minuto ou dois, estrangulou-a, voltou e dispôs do corpo mais tarde, nas primeiras horas da manhã.

— E a levou de carro por quarenta e tantos quilômetros e a atirou na biblioteca de Bantry? — perguntou Melchett. — Isso é inverossímil.

— Realmente, é inverossímil — admitiu o inspetor imediatamente.

O telefone tocou. Melchett atendeu.

— Alô, Haydock, é você? É sobre Ruby Keene. Seria possível admitir que ela tivesse sido morta *depois* da meia-noite?

— Eu lhe disse que ela morreu entre dez e meia-noite.

— Mas não seria possível estender um pouco?

— Não, você não pode estender esse tempo. Quando digo que morreu antes da meia-noite, quero dizer antes da meia-noite e nada de adulterar um parecer técnico.

— Sim, mas não poderia haver algum fator psicológico? Você sabe o que quero dizer.

— Eu sei que você não sabe o que está dizendo. A moça estava gozando perfeita saúde e não era de modo algum anormal. E não vou dizer que foi depois da meia-noite só para ajudá-lo a passar a corda no pescoço de algum pobre coitado em que vocês agentes da polícia botaram as mãos. Não proteste. Eu conheço seus métodos. E, a propósito, a moça não foi estrangulada consciente, quer dizer, foi drogada primeiro. Um narcótico muito forte. Morreu estrangulada, mas foi drogada primeiro.

E desligou.

— É isso mesmo — disse Melchett tristemente.

— Pensei que tivesse encontrado outro provável autor — disse Harper —, mas falhou.

— Outro autor? Quem?
— Falando francamente, coronel, é a sua presa. Chama-se Basil Blake. Mora perto de Gossington Hall.
— Jovem arrogante e imprudente! — A fisionomia do coronel anuviou-se quando se lembrou da rudeza injuriosa de Basil Blake. — Como é que ele está metido nisso?
— Parece que conheceu Ruby Keene. Jantou várias vezes no Majestic e dançou com a jovem. Lembra-se do que Josie disse a Raymond quando Ruby desapareceu? "Será que não está com aquele sujeito do cinema?" Descobri que era Blake a quem ela se referia. Ele é empregado dos Estúdios Lemville, você sabe. Josie não tem nada a acrescentar, a não ser que Ruby era grande admiradora dele.
— Muito promissor, Harper, muito promissor.
— Não tanto quanto parece, coronel. Basil estava numa festa, nos estúdios, naquela noite. O senhor sabe como são essas festas. Começam as oito com coquetéis e vão até as coisas ficarem tão indistintas que quase não se vê a pessoa que passa na nossa frente. De acordo com o inspetor Slack, que o interrogou, Basil saiu da festa por volta da meia-noite. E Ruby Keene foi assassinada à meia-noite.
— Alguém confirma essa declaração?
— A maioria, coronel, conforme pude apurar, já se tinha ido. A mulher que agora está no bangalô... a srta. Dinah Lee...diz que a declaração dele é correta.
— Não significa nada!
— Talvez não, coronel. Depoimentos colhidos de outras pessoas que estiveram na festa confirmam totalmente a declaração do sr. Blake, embora as ideias quanto à hora sejam um tanto vagas.
— Onde são esses estúdios?
— Em Lemville, coronel, a 45 quilômetros a sudoeste de Londres.
— Hum, quase a mesma distância daqui?
— Exato, coronel.
Melchett coçou o nariz.
— É, pelo visto, parece que podemos eliminá-lo.

— Também acho, coronel. Não há prova de que estivesse seriamente atraído por Ruby Keene. Na realidade — o inspetor Harper tossiu afetadamente —, parece plenamente satisfeito com sua atual companheira...

— Bem, continuamos com a incógnita, um assassino desconhecido, tão desconhecido que Slack não consegue arranjar uma única pista! Ou o genro de Jefferson, que poderia ter querido matar a moça, mas não teve ocasião de fazê-lo. *Idem*, com relação à sra. Jefferson. Ou George Bartlett, que não tem álibi, mas, infelizmente, não tem motivo também. E é tudo. Não, espere. Acho que devemos pensar no dançarino... Raymond Starr. Afinal de contas, estava muito a par da vida da moça.

— Não posso crer que tivesse muito interesse por ela — disse Harper calmamente —, a menos que seja um artista finíssimo. E, para sermos práticos, tem um álibi também. Foi visto, mais ou menos entre vinte para as onze até meia-noite, dançando com vários pares. Não vejo como levantar suspeitas contra ele.

— Realmente — concordou o coronel Melchett —, não podemos levantar suspeitas contra ninguém.

— George Bartlett é a nossa melhor esperança. Se pudéssemos encontrar pelo menos um motivo.

— Investigou sua vida?

— Sim, coronel. É uma criança. Mimado pela mãe. Recebeu uma boa herança com a morte dela no ano passado. Está acabando com tudo. É mais fraco do que viciado.

— Talvez seja um doente mental — disse Melchett esperançoso.

O inspetor Harper assentiu com a cabeça.

— Ocorreu-lhe essa ideia, coronel, de que pode ser a explicação de todo o caso? — perguntou Harper.

— Você quer dizer... um lunático criminoso?

— Sim, coronel. Um desses indivíduos que saem por aí estrangulando mocinhas. Os médicos têm um nome comprido para eles.

— Isso resolveria todas as nossas dificuldades — disse o inspetor Harper.

— Só não gosto de uma coisa, coronel — disse o inspetor Harper.

— O que é?

— É fácil demais.

— Hum, talvez seja. Portanto, como disse no começo, em que pé estamos?

Capítulo 12

I

Conway Jefferson agitou-se no seu sono e se espreguiçou. Seus braços se estenderam. Eram braços compridos e poderosos nos quais toda a força de seu corpo parecia ter se concentrado desde o acidente.

A luz da manhã penetrava suavemente através das cortinas.

Conway Jefferson sorriu para si mesmo. Sempre, depois de uma noite de descanso, acordava assim, feliz, reconfortado, com a sua grande vitalidade renovada. Mais um dia!

Ficou ainda deitado por alguns instantes. Em seguida tocou uma campainha à altura da mão. E de repente foi tomado por uma onda de recordações.

Edwards, ágil e silencioso, ao entrar no quarto, ouviu ainda um gemido de seu patrão.

Edwards se deteve segurando a cortina.

— Está sentindo alguma coisa, sr. Jefferson? — perguntou.

— Não, puxe as cortinas.

A luz clara invadiu o quarto. Edwards, compreensivo, não olhou para seu patrão.

Com a fisionomia contraída, Conway Jefferson continuava recordando e pensando. Diante de seus olhos, via de novo o rostinho bonito, mas insulso, de Ruby. Só que na sua mente não usava o adjetivo insulso. Na noite passada, ele teria dito inocente. Uma criança ingênua, inocente! E agora?

Conway Jefferson foi tomado de um grande aborrecimento. Fechou os olhos e murmurou de modo quase inaudível: — Margaret... Era o nome de sua falecida esposa.

II

— Gosto muito de sua amiga — disse Adelaide Jefferson à sra. Bantry.

As duas mulheres estavam sentadas no terraço.

— Jane Marple é uma mulher extraordinária — disse a sra. Bantry.

— É muito simpática também — disse Addie sorrindo.

— As pessoas a chamam de fofoqueira — disse a sra. Bantry —, mas na realidade não é.

— Apenas um mau juízo? Não é?

— Exato.

— Isso é um tanto confortador — disse Adelaide Jefferson —, depois de se ter tido tanto do contrário.

A sra. Bantry olhou para ela indagadoramente.

Addie explicou-se:

— Tanta exaltação e idealização de um objeto indigno!

— Você se refere a Ruby Keene?

Addie fez que sim com a cabeça.

— Não quero ser injusta com ela. Não tinha más intenções. Pobre coitada, tinha o direito de lutar pelo que queria. Não era má. Um tipo comum, um tanto ingênua e de boa natureza, mas uma decidida caçadora de fortunas. Não creio que tenha planejado tudo. O negócio é que era hábil em tirar vantagem de uma oportunidade. E soube conquistar um velho solitário.

— Quer dizer — perguntou a sra. Bantry — que Conway *vivia* solitário?

Addie mexeu-se, impaciente.

— Vivia.., neste verão — fez uma pausa e em seguida explodiu: — Mark diz que a culpa foi minha. Talvez tenha sido, não sei.

Ficou calada por alguns instantes; depois, impelida por alguma necessidade de falar, continuou com dificuldade, quase relutante.

— Eu... eu tenho levado uma vida fora do comum. Mike Carmody, meu primeiro marido, morreu logo depois de nos casarmos. Isso me abalou muito. Peter, como você sabe, nasceu depois de sua morte. Frank Jefferson era um grande amigo de Mike. Portanto eu o via frequentemente. Foi o padrinho de Peter. Mike teria aprovado. Fiquei gostando dele também... oh, para a sua infelicidade.

— Infelicidade? — perguntou a sra. Bantry com interesse.

— Sim, para sua infelicidade. Parece esquisito. Frank teve tudo o que quis. O pai e a mãe não poderiam ter sido melhores para ele. E, no entanto, como posso dizê-lo?... o velho sr. Jefferson é um homem de personalidade muito forte. Quem vivesse com ele não poderia ter sua própria personalidade. Era o que acontecia com Frank.

"Quando nos casamos, éramos muito felizes. O sr. Jefferson foi muito generoso. Doou a Frank uma grande soma de dinheiro... Disse que queria que seus filhos fossem independentes e não precisassem esperar por sua morte. Foi um gesto muito bonito da parte dele... generoso. Mas foi cedo demais. Deveria ter acostumado Frank pouco a pouco com a independência. Frank perdeu a cabeça. Queria ser tão competente como seu pai, tão conhecedor de finanças e de negócios, tão previdente e bem-sucedido. E, é claro, não era nada disso. Ele propriamente não especulou com o dinheiro, mas investiu em coisas erradas, no tempo errado. É impressionante como o dinheiro desaparece logo, quando não se sabe lidar com ele. Quanto mais Frank afundava, maior era sua avidez para recuperar o perdido com algum negócio inteligente. De modo que as coisas iam de mal a pior.

— Mas, querida — perguntou a sra. Bantry —, por que Conway não o aconselhava?

— Ele não queria conselhos. Fazia questão de fazer tudo por sua conta. É por isso que nunca deixamos que o sr. Jefferson o soubesse. Quando Frank morreu, restava muito pouco de seus recursos... uma pequenina renda para mim. E eu... eu nunca disse nada a seu pai. A senhora vê...

Virou-se abruptamente.

— Eu me sentiria traindo Frank. Ele não teria gostado disso. O sr. Jefferson ficou doente durante muito tempo. Quando se restabeleceu, tinha-me em conta de uma viúva em boa situação financeira. Eu nunca desfiz esse equívoco. Tem sido uma questão de honra. Sabe que sou muito cautelosa em questão de dinheiro, mas concorda com isso. Acha que sou o tipo da mulher econômica. E, naturalmente, Peter e eu, desde então, temos vivido com ele, que cobre todas as nossas despesas. Portanto, nunca tive motivo para preocupações.

E acrescentou calmamente:

— Temos vivido como uma família durante todos esses anos. Só que... para ele, sabe (ou você não vê) nunca sou a *viúva* de Frank, mas a *esposa* de Frank.

A sra. Bantry compreendeu a implicação.

— Quer dizer que nunca aceitou a morte deles?

— Não. Ele tem sido maravilhoso. Triunfou sobre a horrível tragédia recusando-se a reconhecer a morte. Mark é o esposo de Rosamund e eu sou a esposa de Frank e embora Frank e Rosamund não estejam mais aqui conosco, eles ainda existem.

— É um maravilhoso triunfo da fé — disse a sra. Bantry admirada.

— De fato. E assim vivíamos, ano após ano. Mas de repente, neste verão, alguma coisa estranha começou a tomar conta de mim. Eu me senti... me senti rebelde. É difícil de explicar, mas eu não queria pensar mais em Frank! Tudo estava acabado, meu amor por ele e minha dor por sua morte. Foi algo que existiu e que não existia mais... É difícil descrever. É como se eu quisesse recomeçar tudo de novo. Eu queria ser eu, Addie, ainda razoavelmente jovem, forte e capaz de jogar, nadar e dançar. Eu queria ser uma *pessoa*. E existe o Hugo (você conhece Hugo McLean?). Ele é um amor e quer casar comigo, mas, é claro, nunca pensei nisso. Só que neste verão, *comecei* a pensar nele, embora sem levar a sério, só vagamente...

Ela parou e meneou a cabeça.

— E assim, acho que é verdade. Eu me descuidei de Jefferson. Não quero dizer que *realmente* o tivesse abandonado, mas minha mente e meus pensamentos não estavam com ele. Quando via Ruby distraindo-o, até que gostava. Isso me deixava mais livre para fazer o que eu quisesse. Nunca imaginei, é claro, que ele viesse a fazer aquilo... *insuflado* por ela!

— E quando você descobriu?

— Fiquei aturdida... realmente aturdida! E, infelizmente, aborrecida também.

— Eu também me aborreceria — disse a sra. Bantry.

— Pensei em Peter. Todo o futuro de Peter depende de Jeff. Jeff praticamente o considerava como seu neto, mas é claro que não era seu neto. Não havia nenhum parentesco. E pensar que ia ser... deserdado! — Suas mãos firmes e bem-feitas faziam tremer a parte do colo onde estavam apoiadas. — E tudo isso por causa de uma estúpida caçadora de fortunas. Oh! Eu seria capaz de matá-la.

Ela parou, acabrunhada. Seus lindos olhos castanhos encontraram os da sra. Bantry com uma expressão de súplica.

— *Que coisa horrível de dizer*! — exclamou. Hugo McLean, que tinha se aproximado por detrás, sem ser percebido, perguntou:

— O que é horrível de dizer?

— Sente-se, Hugo. Conhece a sra. Bantry?

McLean já tinha cumprimentado a sra. Bantry e repetiu a pergunta de modo pausado e insistente.

— O que é horrível de dizer?

— Que eu gostaria de ter matado Ruby Keene — respondeu Addie Jefferson.

McLean refletiu por uns dois minutos. Em seguida, disse:
— Não, se eu fosse você não diria isso. Talvez fosse mal-interpretado.

Seus olhos, cinzentos, firmes e refletidos, encararam-na significativamente.

— *Você precisa controlar-se, Addie* — disse ele.

Havia um tom de advertência em sua voz.

III

Quando Miss Marple saiu do hotel e veio juntar-se à sra. Bantry poucos minutos depois, Hugo McLean e Adelaide Jefferson caminhavam juntos na direção do mar.

Miss Marple, sentando-se, observou:

— Ele parece muito dedicado.

— Tem sido fiel há anos — disse a sra. Bantry. — É daquele tipo de homens.

— Eu sei. Como o major Bury. Viveu atrás de uma viúva anglo-indiana durante dez anos. Era motivo de chacota entre as amigas dela! No fim ela aceitou mas, infelizmente, dez dias antes de se casarem, fugiu com o motorista! Era também uma mulher bonita e de modo geral também ponderada.

— As pessoas fazem coisas esquisitas — concordou a sra. Bantry. — Eu gostaria de que você estivesse aqui agora mesmo, Jane. Addie Jefferson estava me contando sua vida. Como seu marido acabou com a sua fortuna, e como esconderam o fato do sr. Jefferson. E então, neste verão, começou a ver as coisas de modo diferente...

Miss Marple assentiu com um gesto da cabeça.

— Sim, ela se rebelou contra sua escravidão ao passado, não foi? Afinal de contas, há tempo para tudo. Não se pode viver eternamente encerrado entre quatro paredes. Suponho que a sra. Jefferson as tenha derrubado e despido suas vestes de viúva e que seu sogro, é claro, não tenha gostado disso. Sentiu-se abandonado ao relento, embora não acredite por um só instante que tenha constatado quem a instigou a isso. No entanto, certamente não gostou. E assim, naturalmente, como o velho Badger quando sua esposa se envolveu com o espiritismo, ele estava no ponto certo para o que aconteceu. Qualquer jovem de relativa simpatia que o percebesse teria se aproveitado.

— Você acha, Jane — perguntou a sra. Bantry —, que aquela prima, Josie, a teria trazido deliberadamente... que era um complô de família?

Miss Marple meneou a cabeça.

— Não creio, não creio nisso de modo algum. Não acho que Josie seja dotada de tal inteligência que possa prever as reações das pessoas; é um tanto obtusa nesse sentido. É dotada daquela espécie de mente astuta, limitada e prática que nunca prevê o futuro e geralmente se surpreende quando as coisas acontecem.

— Parece que todos foram tomados de surpresa — disse a sra. Bantry. — Addie e Mark Gaskell também, ao que parece.

Miss Marple sorriu.

— Ouso dizer que ele também tem suas próprias dificuldades. Um tipo atrevido, de olhar vago! Não é homem para viver curtindo as dores da viuvez durante muitos anos, por mais que tivesse querido bem à esposa. Chego a pensar que estão ambos impacientes, sob o jugo da eterna lembrança que o sr. Jefferson lhes impõe.

— Só que é mais fácil para os homens, é claro — acrescentou Miss Marple maliciosamente.

IV

Naquele mesmo instante, Mark estava confirmando esse juízo sobre si em conversa com Sir Henry.

Com a franqueza característica, Mark fora direto ao assunto.

— Começo a perceber — dizia ele — que sou o Suspeito Número 1 para a polícia! Andaram investigando minhas dificuldades financeiras. Estou falido, ou quase falido. Se o querido velho Jefferson morrer, conforme se espera, dentro de um ou dois meses, e Addie e eu dividirmos a *grana* também de acordo com o programado, tudo estará bem. Na realidade, tenho muitas dívidas... Se vier o colapso, será terrível! Se puder protelar, a coisa será completamente diferente... me saio desta muito bem e serei um homem rico.

— O senhor é um aventureiro, sr. Mark — disse Sir Henry.

— Sempre fui. Arriscar tudo, eis o meu lema! Sim, foi sorte minha que alguém tenha estrangulado aquela pobre menina. Eu não fiz isso. Não sou um estrangulador!. Não creio que fosse capaz de matar alguém. Sou um tipo tranquilo. Mas não creio que possa levar a polícia a acreditar *nisso*! Devo ser para eles a resposta às preces do detetive! Eu tinha um motivo, estava no local, não sou dotado de altos escrúpulos morais! Não posso compreender por que não estou ainda na cadeia! Aquele inspetor me dirigiu um olhar muito irritante.

— Você conseguiu uma coisa útil, um álibi.

— Um álibi é a coisa mais duvidosa do mundo! Nenhuma pessoa inocente jamais teve um álibi! Além disso, tudo depende da hora do crime, ou de coisa semelhante, e pode estar certo de que, se três médicos afirmam que a moça foi morta à meia-noite, no mínimo outros seis haverão de jurar que foi morta às cinco da manhã... e onde estaria então meu álibi?

— De qualquer maneira, você não precisa levar isso a sério.

— Um negócio de mau gosto, não acha? — perguntou Mark em tom de gracejo. — Na verdade, estou apavorado. Ora... um assassinato! E no fundo lamento por causa do velho Jeff. Lamento. Mas foi a melhor maneira, por pior que tenha sido o choque, do que se a tivesse ele próprio desmascarado.

— O que é que quer dizer se a tivesse desmascarado?

Mark piscou os olhos.

— Para onde ela foi naquela noite? Aposto o que quiser que foi encontrar-se com um homem. Jeff não teria gostado disso. Não teria gostado de modo algum. Se tivesse descoberto que ela o estava enganando, que não era aquela coisinha tagarela e inocente que parecia, bem... meu sogro é um tipo bastante esquisito. É um homem de muito autocontrole, mas seu autocontrole pode romper-se. E, nesse caso, cuidado!

Sir Henry olhou curiosamente para Mark.

— Você gosta dele ou não?

— Gosto muito dele mas ao mesmo tempo tenho meus ressentimentos. Procurarei explicar. Conway Jefferson é um sujeito que gosta de dominar todos os que o cercam. É um déspota benevolente, bondoso, generoso e afetivo, mas é o músico e todos têm de dançar a música que ele tocar.

Mark Gaskell fez uma pausa.

— Eu adorava minha esposa. Nunca amarei alguém como a amei. Rosamund era toda alegria, sorriso e flores, e quando ela morreu eu me senti como um lutador que recebeu um nocaute no ringue. Mas o árbitro está fazendo a contagem durar tempo demais. Afinal de contas, eu sou humano. Gosto de mulheres. Não quero casar-me de novo, de modo algum. Está bem. Tenho de ser discreto mas, em compensação, tenho tido minhas horas de felicidade. Mas a pobre da Addie, não. Addie é realmente uma mulher bonita. É o tipo da mulher com quem todo homem gostaria de casar, e não só dormir com ela. Dê-lhe meia oportunidade e ela se casará novamente. E será muito feliz e fará feliz seu companheiro. Mas o velho Jeff a vê sempre como a esposa de Frank e a condicionou de tal modo que ela assim se considera. Ele não sabe mas temos estado numa prisão. Eu a rompi, discretamente, há muito tempo. Addie a rompeu neste verão e isso abalou o velho Jeff. Desintegrou seu mundo. Resultado: Ruby Keene.

Mark irreprimivelmente começou a cantar:

*Mas ela está enterrada e, oh,
Eu não estou*

—Vamos beber alguma coisa, Clithering.

Não era de surpreender, refletiu Sir Henry, que Mark estivesse sob suspeita da polícia...

Capítulo 13

I

O dr. Metcalf era um dos médicos mais conhecidos de Danemouth. Não tinha uma maneira agressiva de tratar de doentes acamados, mas sua presença no quarto do enfermo exercia, invariavelmente, efeito estimulante. Era um homem de idade madura, com uma voz serena e agradável.

Ouvia atentamente o inspetor Harper e respondia às suas perguntas com serenidade e precisão.

Harper perguntou:

— Então, dr. Metcalf, posso aceitar como verdadeira a informação da sra. Jefferson sobre o estado de saúde de seu sogro?

— Sim, seu estado de saúde é precário. Já faz muitos anos que vem se exigindo além da conta, querendo viver como um homem normal. Por isso tem vivido num ritmo muito mais intenso do que qualquer um na sua idade. Recusa-se a descansar, a não fazer esforço, a ter calma, enfim, a aceitar qualquer conselho semelhante que eu e seus outros médicos lhe temos dado. O resultado é que parece uma máquina que trabalhou demais. Coração, pulmões, pressão sanguínea, tudo está sobrecarregado.

— Quer dizer que o sr. Jefferson tem se recusado a ouvir suas recomendações?

— Sim. Não sei se devo censurá-lo. Não digo isso a meus pacientes, inspetor, mas um homem pode também destruir-se pela inação. Muitos de meus colegas diriam o mesmo e, pode acreditar-me, não é nenhuma besteira. Num lugar como Danemouth, a gente vê exatamente o contrário: inválidos apegando-se à vida, com medo de se exercitarem demais, com medo de apanhar uma corrente de ar, com medo de germes, de uma alimentação imprudente!

— Espero que tudo isso seja verdade — disse o inspetor Harper. — O importante então é o seguinte... Conway Jefferson é bastante forte, do ponto de vista físico, ou, digamos, falando de músculos. A propósito, o que é que ele pode fazer realmente?

— Tem muita força nos braços e nos ombros. Era um homem muito vigoroso antes do acidente. É extremamente ágil no manejo de sua cadeira de rodas, e com a ajuda de muletas pode locomover-se pelo quarto, por exemplo, da cama para a cadeira.

— Não seria possível a um aleijado como o sr. Jefferson andar com pernas artificiais?

— No seu caso, não. Sua coluna vertebral foi atingida.

— Compreendo. Deixe-me resumir de novo. Jefferson é bastante forte do ponto de vista muscular. Sente-se bem e tudo o mais.

Metcalf assentia com a cabeça.

— Mas seu coração vai mal. Qualquer superexcitação ou esforço, ou um susto ou um súbito alarme lhe poderia ser fatal. Estou certo?

— Mais ou menos. O excesso de esforço o está matando lentamente, pois não se quer dar por vencido quando fica cansado. Isso agrava seu estado cardíaco. É improvável que o excesso de esforço venha a matá-lo de repente. Mas uma emoção forte ou um susto o poderia fazer. Foi por isso que adverti sua família.

O inspetor Harper disse calmamente:

— Mas na realidade o choque *não* o matou. Quero dizer, doutor, que não poderia passar por uma emoção mais forte do que essa história toda. E, no entanto, está vivo!

Dr. Metcalf encolheu os ombros.

— Eu sei. Mas se o senhor tivesse minha experiência, inspetor, saberia que nesses casos é impossível fazer um prognóstico com precisão. Pessoas que *deviam* morrer de susto e de frio *não* morrem de susto nem de frio etc. etc. A estrutura humana é mais forte do que se pode imaginar. Além disso, na minha experiência, um choque *físico* é muitas vezes mais fatal do que um choque *mental*. Numa linguagem primária, uma porta que se bate subitamente teria mais possibilidade de matar o sr. Jefferson do que a notícia da morte trágica de uma moça por quem tivesse particular afeição.

— Poderia explicar-me por quê?

— O golpe de uma notícia ruim quase sempre suscita uma reação de defesa. Entorpece quem o recebe. A pessoa, de início, não a assimila. A plena constatação leva um pouco de tempo. Mas uma porta que se bate, alguém que salta para fora de um armário, a súbita investida de um carro quando se atravessa a rua, tudo isso é de ação imediata. O coração parece querer pular do peito, como se diz.

O inspetor Harper perguntou em voz submissa:

— Mas, pelo que se sabe, a morte da garota poderia ter matado o sr. Jefferson?

— Oh, sem dúvida — o médico olhava indagadoramente para o inspetor. — O senhor acha...

— Eu não sei o que eu acho — disse o inspetor agitado.

II

— Mas o senhor admite que as duas coisas se ajustam muito bem — dizia ele pouco depois a Sir Henry Clithering. — Matar dois coelhos com uma cajadada só. Primeiro, a moça; depois, com a notícia de sua morte, também o sr. Jefferson, antes que tivesse qualquer oportunidade de alterar seu testamento. — O senhor acha que o modificará?

— O senhor teria mais condições de saber isso do que eu. O que diz a respeito?

— Não sei. Antes de Ruby Keene entrar em cena, fiquei sabendo, por acaso, que ele deixara sua fortuna para ser dividida entre Mark Gaskell e a sra. Jefferson. Não sei por que teria mudado de ideia. Mas é um direito que lhe assiste. Poderia deixar seu dinheiro para quem quisesse, para um asilo ou para subsidiar dançarinos profissionais.

O inspetor Harper concordou.

— A gente nunca sabe o que se passa na cabeça de um sujeito, sobretudo quando não está preso a qualquer obrigação moral de como dispor de sua fortuna. E, nesse caso, nenhuma relação de parentesco.

— Ele gosta muito do menino Peter — disse Henry.

— Acha que o considera como neto? O senhor deve saber disso melhor do que eu.

— Não, acho que não — respondeu Sir Henry com voz pausada.

— Há outra coisa que gostaria de lhe perguntar, Sir Henry. É algo que não tenho a mínima condição de checar. Trata-se de amigos seus e o senhor deve saber. Qual seria o grau de afeição do sr. Jefferson pelo sr. Gaskell e pela jovem sra. Jefferson?

Sir Henry franziu a testa.

— Não sei se o entendi bem, inspetor.

— É o seguinte, Sir... à parte o parentesco do sr. Jefferson com seu genro e sua nora, como os considera *como pessoas*?

— Ah, compreendo o que quer dizer.

— Exato. Ninguém põe em dúvida que o sr. Jefferson lhes seja muito afeiçoado. Mas, a meu ver, seu apego se explica pelo fato de os considerar, respectivamente, marido e esposa de sua filha e de seu filho. Mas, suponhamos, por exemplo, que um deles, ou os dois, se casem?

Sir Henry refletiu e disse:

— É um ponto interessante a ser levantado. Não sei. Estou inclinado a acreditar, é uma mera opinião, que isso alteraria muito sua atitude. Não iria querer-lhes mal por isso, não guardaria rancor, mas acho que não teria mais interesse por eles.

— Em ambos os casos?

— Acho que sim. No caso do sr. Gaskell, tenho quase certeza. No caso da sra. Jefferson, talvez, mas não estou tão certo. Tenho para mim que gosta dela por causa dela mesma.

— O sexo talvez tenha algo a ver com isso — disse o inspetor Harper, sabiamente. — É mais fácil para ele considerá-la como uma filha do que ao sr. Gaskell como um filho. Isso é válido para ambos os sexos. As mulheres aceitam um genro com mais facilidade, mas é raro uma mulher considerar a esposa de seu filho como uma filha.

O inspetor Harper continuou:

— O senhor se incomodaria se continuássemos a discorrer sobre o assunto no pátio de tênis? Miss Marple está sentada lá. Quero pedir a ela que faça uma coisa para mim. Para dizer a verdade, quero envolver ambos no mesmo serviço.

— Em que sentido, inspetor?

— Para conseguir um material que eu próprio não posso conseguir. Gostaria que o senhor se encarregasse do Edwards.

— Edwards? O que quer com ele?

— Tudo que possa imaginar! Tudo o que ele sabe ou que acha! Sobre as relações entre os vários membros da família, sua opinião sobre a história de Ruby Keene. Problemas íntimos. Ninguém melhor do que ele está a par de tudo. Aposto que está! E a mim não diria nada. Mas ao senhor contará tudo. E alguma coisa *poderia* resultar daí. Isso tudo, é claro, se o senhor não se opuser.

— Não me oponho — disse Sir Henry sombriamente. — Fui chamado urgentemente para apurar a verdade. Tenho de fazer o possível.

E acrescentou:

— E qual será o serviço de Miss Marple?

— Junto a algumas moças. Algumas daquelas bandeirantes. Já reunimos uma meia dúzia delas, as mais amigas de Pamela Reeves.

É possível que saibam de alguma coisa. Estive pensando. Parece-me que, se aquela menina tivesse realmente ido à Woolworth's teria tentado persuadir uma das outras moças a acompanhá-la. As moças, em geral, gostam de fazer compras com amigas.

— É, acho que o senhor tem razão.

— Portanto, é possível que a Woolworth's tenha sido apenas um pretexto. Quero saber realmente onde a moça teria ido. Talvez tenha deixado transparecer alguma coisa. Se isso aconteceu, Miss Marple é a pessoa indicada para arrancar a informação das moças. Tenho para mim que ela já sabe de alguma coisa, mais do que eu. E, seja como for, as garotas ficariam assustadas com a polícia.

— Parece o tipo de problema de aldeia, a especialidade de Miss Marple. Ela é muito sagaz. O inspetor sorriu e disse:

— Acho que o senhor tem razão. Nada lhe escapa.

Miss Marple levantou a vista à aproximação deles e os recebeu com vivo interesse. Ouviu o pedido do inspetor e aceitou imediatamente a incumbência.

— Gostaria muito de ajudá-lo, inspetor, e acho que talvez possa ser útil de alguma forma. Posso ver o que se passa na Escola Dominical, nas Brownies, na associação das bandeirantes e no orfanato, ali perto. Faço parte da comissão e muitas vezes tenho uma conversinha com a diretora. E, depois, as empregadas. Geralmente tenho empregadas muito jovens. Oh, sim, tenho muita experiência em descobrir quando uma jovem está dizendo a verdade e quando esconde alguma coisa.

— Realmente a senhora é perita no assunto — disse Sir Henry. Miss Marple lançou-lhe um olhar reprovador e continuou:

— Oh, *por favor*, não zombe de mim, Sir Henry.

— Nem me passou pela cabeça fazer zombaria. A senhora é que tem rido de mim muitas vezes.

— A gente vê tantas coisas ruins numa cidade pequena do interior — murmurou Miss Marple, num tom de explicação.

— A propósito — disse Sir Henry —, consegui as informações que a senhora me pediu. O inspetor me disse que havia aparas de unha na cesta de papéis de Ruby.

— Havia? — perguntou Miss Marple pensativa. — Então é por isso...

— Por que a senhora queria saber, Miss Marple? — perguntou o inspetor.

— Era uma das coisas que... bem, pareciam estranhas, quando vi o corpo. Havia algo de errado nas mãos e, inicialmente, não podia atinar o quê. Depois me lembrei de que as moças se pintam muito, e em geral quase todas que se pintam exageradamente têm unhas compridas. Sei também que há moças em toda parte que roem as unhas. Um hábito muito difícil de ser dominado. Mas muitas vezes a vaidade ajuda muito. No entanto, presumi que aquela moça não se cuidava muito. Depois veio o garotinho Peter, o senhor sabe quem é. Disse uma coisa que demonstrava que as unhas dela eram *compridas*, só que tinha quebrado uma. Então, é claro, preferiu aparar todas, pelo menos para salvar as aparências. Daí por que perguntei pelas aparas e Sir Henry informa que foram encontradas.

— A senhora disse agora mesmo "*uma* das coisas que me pareceram estranhas quando vi o corpo" — observou Sir Henry. — Havia algo mais?

— Oh, sim! Havia o vestido. O vestido estava *todo* errado! — respondeu Miss Marple energicamente.

Ambos os policiais olharam para ela curiosos.

— Por quê?

— Bem, era um vestido velho. Josie mesmo disse que o vestido era velho e eu pude ver por mim mesma que estava surrado e rasgado. Ora, tudo isso é anormal.

— Não vejo por quê.

Miss Marple enrubesceu um pouco.

— Bem, a ideia é de que Ruby Keene trocou de roupa e saiu para se encontrar com alguém em quem estaria "vidrada", na linguagem de meus sobrinhos. Não é assim?

O inspetor deu uma piscadela.

— *É* uma hipótese. Teria um encontro com algum namorado.

— Então por que — perguntou Miss Marple — poria um vestido surrado?

O inspetor coçou a cabeça pensativo.

— Compreendo seu ponto de vista. A senhora acha que deveria ter usado um vestido novo?

— Acho que teria usado o melhor que tivesse. É assim que fazem as moças.

Sir Henry se interpôs.

— Está certo, mas olhe aqui, Miss Marple, suponhamos que tenha saído para esse *rendez-vous* em um carro aberto ou que, talvez, tivesse que caminhar por um terreno acidentado. Então, não quis arriscar-se a sujar um vestido novo e por isso botou um velho.

— O que seria muito sensato — ponderou o inspetor.

Miss Marple voltou-se para ele e falou com animação.

— Muito sensato seria vestir calças compridas e um *pullover*. É isso, naturalmente (não quero ser esnobe, mas tenho para mim que seja inevitável), o que faria uma moça... de nossa classe. Uma moça bem-educada — continuou Miss Marple, reforçando seu argumento — é sempre muito ciosa de usar roupas próprias para uma ocasião. Quero dizer que, por mais quente que seja o dia, uma moça de certa classe nunca usaria um vestido de seda florido.

— E qual seria o vestido adequado no caso? — perguntou Sir Henry.

— Se fosse encontrar-se com ele no interior do hotel ou em alguma parte em que se usa vestido toalete, usaria seu melhor vestido de toalete, é claro. Mas, *fora*, ela se sentiria ridícula com vestido toalete, e então usaria a roupa esporte mais atraente.

— Isso em se tratando de uma jovem da sociedade, mas Ruby Keene...

Miss Marple o interrompeu.

— Ruby, naturalmente, não era uma moça da sociedade ou, para falar de modo mais claro, Ruby *não era* uma dama. Pertencia à classe que usa sua melhor roupa para qualquer ocasião. No ano passado, tivemos um piquenique em Scrantor Rocks. Era curioso observar como eram inadequados os vestidos que as moças usavam. Roupas de seda, sapatos de verniz e chapéus bem-trabalhados. Para andar por rochas, tojos e urzes. E os jovens com seus melhores ternos.

— E a senhora acha que Ruby Keene...? — perguntou o inspetor pausadamente.

— Acho que teria conservado o vestido que estava usando... seu melhor vestido cor-de-rosa. Ela o teria trocado se tivesse algum vestido ainda mais novo para usar.

— E qual é a sua explicação, Miss Marple? — perguntou o inspetor.

— Não tenho nenhuma... ainda. Mas não posso deixar de pensar que seja importante...

III

Raymond Starr estava acabando de dar uma aula na quadra de tênis.

Uma senhora gorda de meia-idade deu alguns gritinhos de entusiasmo, apanhou uma jaqueta de lã azul-celeste e saiu na direção do hotel.

Raymond lhe gritou algumas palavras alegres.

Em seguida, voltou-se para os bancos onde estavam sentados três espectadores. As bolas balançavam numa cesta em sua mão, enquanto sustentava a raquete embaixo do braço. A expressão alegre e sorridente em seu rosto desapareceu como se apagada pela esponja de uma lousa. Parecia cansado e preocupado.

Aproximando-se deles disse:

— *Esta* está terminada.

Em seguida, o sorriso estampou-se de novo em seu rosto, aquele sorriso encantador, juvenil e expressivo, que combinava tão bem com sua tez bronzeada pelo sol, sua elegância e agilidade.

Sir Henry perguntava-se quantos anos teria Raymond... 25, trinta ou 35? Era impossível dizer com certeza.

— *Ela* nunca jogará bem — disse Raymond, meneando um pouco a cabeça.

— Tudo isso deve ser muito tedioso para o senhor — disse Miss Marple.

— Às vezes. Especialmente no fim do verão. Durante algum tempo, a gente se anima um pouco, pensando no salário, mas no fim até isso deixa de ser estimulante!

O inspetor Harper levantou-se.

—Virei buscá-la dentro de meia hora, Miss Marple, se tudo correr bem, certo?

— Ótimo, obrigada. Estarei pronta. Harper saiu. Raymond ficou olhando-o.

— Não se incomodam se me sentar um pouco aqui?— perguntou.

— De modo algum — disse Sir Henry. — Aceita um cigarro?

Sir Henry ofereceu sua cigarreira, perguntando-se por que tinha agido assim, uma vez que tinha um ligeiro sentimento de antipatia por Raymond Starr. Seria só por se tratar de um dançarino e instrutor de tênis? Se fosse isso, não era o tênis, mas a dança. O inglês, concluiu Sir Henry, tinha uma especial antipatia por homens que dançam bem demais! Aquele sujeito se movimentava com tanta elegância! Ramon... Raymond... como é mesmo seu nome? Abruptamente fez a pergunta.

— Ramon foi meu primeiro nome profissional. Ramon e Josie... efeito espanhol, sabe? Mas havia um certo preconceito contra estrangeiros, por isso tornei-me Raymond, muito britânico...

— E qual o seu nome verdadeiro? — perguntou Miss Marple.

Raymond Starr sorriu para ela.

— Na realidade meu sobrenome é Ramon. Minha avó era argentina. ("Isso explicava aquele gingar das cadeiras", pensou Sir Henry.) Mas meu nome é Thomas.

Voltou-se para Sir Henry.

— O senhor é de Devonshire, não é? De Stane? Meu pessoal mora ali por perto, em Alsmonston.

O rosto de Sir Henry iluminou-se.

— O senhor é um dos Starr de Alsmonston? Nunca poderia supor.

— É claro que não.

Havia um pouco de amargura no seu tom de voz.

Sir Henry disse embaraçado:

— É uma questão de falta de sorte.

— A casa ser vendida depois de pertencer à família durante três séculos? Certamente. E, mais ainda, nosso pessoal teve de ir embora, suponho. Nós vivemos além da nossa utilidade. Meu irmão mais velho foi para Nova York. É editor. Está indo bem. O restante se espalhou por todo o mundo. Eu diria que não é fácil se conseguir hoje em dia um emprego quando tudo que se tem a dizer é que se estudou em escola pública! Às vezes se tem sorte e se consegue o emprego de recepcionista num hotel. A gravata e as boas maneiras valem muito ali. O único emprego que pude conseguir foi o de vendedor numa casa de produtos para banheiro e cozinha. Lindas banheiras de porcelana cor de pêssego e de limão. Enormes *show-rooms*, mas como nunca conseguia saber o preço do diabo das mercadorias e nem como poderia entregá-las logo, fui dispensado. A única coisa que eu *sabia* fazer era dançar e jogar tênis. Empreguei-me num hotel na Riviera. Ganha-se muito ali. Até que estava indo bem. Então por acaso escutei um velho coronel, realmente velho, inglês até a medula e sempre falando da Índia. Ele procurou o gerente e lhe disse com voz a toda altura: "Onde está o *gigolô*? Preciso pegar aquele *gigolô*. Minha esposa e minha filha querem dançar, sabe. Onde está aquele sujeito? Não é para isso que ele está aqui? Preciso do *gigolô*."

Raymond continuou.

— Era demais. Parecia bobagem mas abandonei o emprego. Vim para cá. Ganha-se menos mas o trabalho é mais agradável. Ensinar tênis a mulheres gordas que nunca, jamais, aprenderão a jogar tênis. Isso e ainda dançar com moças que ninguém quer e que vivem tomando chá de cadeira, filhas de clientes ricos. É a vida. Desculpe-me por essa história de fracassos!

Ele deu uma risada, mostrando seus dentes alvos e pregueando o canto dos olhos. Pareceu, de repente, saudável, alegre e animado.

— Gostaria de conversar um pouco com o senhor. Pode ser?

— Sobre Ruby Keene? Não creio que lhe possa ser útil. Não sei quem a matou. Sei muito pouco a seu respeito. Ela não confiava em mim.

— O senhor gostava dela?

— Não muito. Mas tampouco antipatizava com ela.

Sua voz era tranquila, despreocupada.

— De modo que o senhor não tem nenhuma sugestão a fazer? — perguntou Sir Henry.

— Lamentavelmente, acho que não... teria dito a Harper se tivesse. Parece-me exatamente uma daquelas coisas! Um crime mesquinho, sórdido, sem motivo, sem pistas.

— Duas pessoas têm um motivo — disse Miss Marple.

— É mesmo? — Raymond parecia surpreso. Miss Marple olhava insistentemente para Sir Henry, que disse a contragosto:

— Sua morte provavelmente beneficia a sra. Jefferson e o sr. Gaskell em cinquenta mil libras.

— O quê? — Raymond parecia realmente espantado, mais do que espantado, aturdido. — Oh, mas isso é absurdo, absolutamente absurdo. A sra. Jefferson! Nenhum deles pode ter tido algo a ver com isso. Seria inconcebível pensar numa coisa dessas.

Miss Marple tossiu e disse gentilmente:

— Sinto muito, mas o senhor parece um idealista.

— Eu? — deu uma risada. — Eu não! Sou cínico e insensível.

— O dinheiro — disse Miss Marple — é um motivo poderosíssimo.

— Talvez — disse Raymond acremente. — Mas que um ou outro tenha estrangulado uma jovem friamente...

Raymond meneava a cabeça. Depois levantou-se.

— Lá está a sra. Jefferson. Vem para sua aula de tênis. Está atrasada — seu tom de voz era divertido. — Dez minutos de atraso!

Adelaide Jefferson e Hugo McLean vinham caminhando rapidamente na direção deles.

Com um sorriso de desculpa por seu atraso, Addie Jefferson dirigiu-se para a quadra. McLean sentou-se no banco. Depois de perguntar polidamente se Miss Marple não se incomodava com a fumaça de cachimbo, acendeu-o e fumou em silêncio durante algum tempo, observando criticamente as duas figuras a se movimentarem na quadra de tênis.

— Não entendo por que Addie precisa de aulas — disse finalmente. — Jogar está certo. Ninguém gosta mais disso do que eu. Mas por que aulas?

— Para aperfeiçoar seu jogo — disse Sir Henry Clithering.

— Ela não joga mal — disse Hugo. — Ao contrário, joga bastante bem. Afinal de contas, não creio que vá disputar algum campeonato.

Ficou calado por alguns instantes, depois prosseguiu:

— Quem é esse tal de Raymond? De onde vêm esses instrutores? Parece-me um tipo de ascendência latina...

— A um dos Starr de Devonshire — disse Sir Henry.

— O que? Não é possível!

Sir Henry confirmou com a cabeça. Era evidente que essa notícia não fora agradável para Hugo McLean, que franziu as sobrancelhas como nunca.

— Não sei por que Addie me mandou chamar. Ela parece não dar a menor importância a tudo isso! Nunca pareceu tão bem. Por que me mandou chamar?

— Quando foi que ela o mandou chamar? — perguntou Sir Henry com curiosidade.

— Oh, quando tudo isso aconteceu.

— Como o senhor soube? Por telefone ou telegrama?

—Telegrama.

— Por uma questão de curiosidade, quando foi expedido?

— Na verdade, não sei.

— Quando o recebeu?

— Não sei exatamente. Foi-me transmitido por telefone.

— Por quê? Onde se encontrava?

— Tinha saído de Londres na tarde anterior. Estava hospedado em Danebury Head.

— Oh, tão perto daqui?

— Engraçado, não é? Recebi a mensagem quando chegava de uma partida de golfe e vim imediatamente.

Miss Marple olhou para ele pensativa. Hugo McLean parecia excitado e constrangido.

— Ouvi dizer que Danebury Head é um lugar muito agradável e não muito caro — disse ela.

— Não, não é caro. Nem poderia ter ido para lá se fosse. É um lugar muito bonito.

— Precisamos dar um passeio de carro até lá um dia desses — disse Miss Marple...

—Ah, sim? O quê? Oh, sim, é bom.

Levantou-se.

— Preciso fazer um pouco de exercício para estimular o apetite.

Afastou-se parecendo tenso.

—As mulheres tratam muito mal seus admiradores fiéis — disse Sir Henry.

Miss Marple sorriu mas não disse nada.

— Ele lhe deu a impressão de ser um cão fiel? — perguntou Sir Henry. — Eu gostaria de saber.

— Um pouco curto das ideias, talvez — respondeu Miss Marple. — Mas acho que tem possibilidades. Possibilidades certamente limitadas.

Sir Henry levantou-se também.

— Preciso ir andando. A sra. Bantry está chegando para lhe fazer companhia.

IV

A sra. Bantry chegou sem fôlego e sentou-se com um suspiro.

— Estive conversando com as criadas. Mas não valeu a pena. Não consegui nada de novo! Você acha que aquela moça poderia estar se comportando mal no hotel, e sem que alguém tivesse conhecimento?

— É uma observação muito interessante, querida. Eu diria taxativamente que *não*. *Alguém* sabe, o negócio é descobrir se é verdade. Mas ela deve ter sido muito sabida nesse ponto.

A atenção da sra. Bantry foi desviada para a quadra de tênis.

— Addie está progredindo muito no tênis — disse aprovadoramente. — Está muito bonita. Ainda é uma mulher atraente. Não me admiraria se se casasse novamente.

— E será uma mulher rica também quando o sr. Jefferson morrer — disse Miss Marple.

— Oh, não fique sempre pensando nessas coisas nojentas. Jane, Por que não decifrou ainda esse mistério? Parece que não estamos fazendo progresso algum. Eu pensei que você iria descobrir tudo *imediatamente*.

Havia um tom de censura em suas palavras.

— Não. Ainda não, querida. Não descobri imediatamente, mas não precisou de muito tempo.

A sra. Bantry olhou para ela espantada e incrédula.

— Quer dizer que *já* sabe quem matou Ruby Keene?

— Oh, sim — respondeu Miss Marple. — Já sei.

— Mas, Jane, quem é? Diga-me imediatamente.

Miss Marple meneou a cabeça firmemente e cerrou os lábios.

— Sinto muito, Dolly, mas não convém.

— Por que não convém?

— Porque você é muito indiscreta. Sairia falando por aí com todo mundo. Ou, mesmo que não dissesse, deixaria alguém *perceber*.

— Ah, não, não o faria. Ficaria muda.

— As pessoas que prometem isso nunca cumprem. Não convém, querida. Há ainda um longo caminho a percorrer. Há ainda muitas coisas obscuras. Você se lembra de quando fui contra deixar a sra. Partridge fazer coleta para a Cruz Vermelha e não podia dizer *por quê*? A razão era que torcia o nariz do mesmo modo como minha empregada o fazia quando a mandava pagar as contas. Sempre as pagava com uma pequena diferença a menos e dizia: "Na próxima semana cobrirei." Era exatamente o que fazia a sra. Partridge, só que numa escala muito maior. Setenta e cinco libras foi o que ela embolsou indevidamente.

— Deixe a sra. Partridge para lá.

— Mas tinha de lhe dar uma explicação. E se você prestar atenção lhe darei uma *pista*. A dificuldade neste caso é que todo mundo tem sido *crédulo* e *ingênuo* demais. Não se pode simplesmente dar-se ao *luxo* de acreditar em tudo que as pessoas nos dizem. Quando há algo de suspeito, nunca acredito em nada! Conheço muito bem a natureza humana.

A sra. Bantry ficou calada por alguns instantes. Em seguida, disse num tom de voz diferente:

— Eu disse, não foi, que não sabia por que não poderia me divertir com esse crime. Um assassinato real em minha própria casa! Uma coisa dessas jamais acontecerá de novo.

— Espero que não — disse Miss Marple.

— Eu também. Uma vez é o bastante. Mas o crime é *meu*, Jane, eu quero distrair-me com ele.

Miss Marple lhe lançou um olhar reprobatório.

— Não acredita nisso? — perguntou a sra. Bantry belicosamente.

— É claro, querida, já que você mesma é quem o diz — respondeu Miss Marple delicadamente.

— É, mas você nunca acredita no que as pessoas lhe dizem, não é? Acaba de dizê-lo. No fim, você tem razão — a voz da sra. Bantry assumiu de repente um tom amargo. — Não sou tola. Você pode pensar, Jane, que não sei o que estão dizendo em toda St. Mary Mead, em todo o município! Estão todos dizendo que onde há fumaça há fogo; que, se o corpo da moça foi encontrado na biblioteca de Arthur, então Arthur deve saber de algo a respeito. Estão dizendo que a moça era amante de Arthur, que era sua filha ilegítima, que estava fazendo chantagem com ele. Dizem tudo que lhes vem à cabeça. E vão continuar assim! Arthur não vê isso; não quer ver o que está errado. Ele é tão estúpido que acha que as pessoas não podem pensar isso dele. Será desprezado e olhado de través (o que quer que isso signifique!) e ficará no ostracismo e de repente ficará horrorizado e aniquilado. Irá recolher-se como um caramujo e sofrer dia após dia de angústia. Foi por tudo isso que vai acontecer com ele que vim para cá, para esmiuçar tudo que pudesse! Esse crime tem de ser solucionado! Se não o for, toda a vida de Arthur estará arruinada e não quero que isso aconteça. Não quero! Não quero! Não quero!

Fez uma pausa por alguns minutos e disse:

— Não quero que meu marido sofra por algo que não fez. Esta é a única razão por que vim a Danemouth e o deixei sozinho em casa... para descobrir a verdade.

— Eu sei, querida — disse Miss Marple. — É para isso que estou aqui também.

Capítulo 14

I

Num tranquilo quarto do hotel, Edwards ouvia Sir Henry Clithering com deferência.

— Há várias perguntas que gostaria de lhe fazer, Edwards, mas quero primeiro que você compreenda exatamente qual é a minha situação aqui. Fui comissário de polícia na Scotland Yard. Agora estou aposentado. Seu patrão mandou me chamar quando ocorreu a tragédia. Quer que use de minha habilidade e experiência para descobrir a verdade.

Sir Henry fez uma pausa.

Edwards, com seus olhos inteligentes, inclinou a cabeça e disse:

— Compreendo, Sir Henry.

Clithering continuou lenta e pausadamente:

— Em todo caso policial há necessariamente muita informação que deve ser mantida em segredo. E isso por várias razões: porque diz respeito a uma situação de família, porque é considerado como não tendo relação com o caso ou porque envolveria inconveniências e embargos para as partes interessadas.

— Compreendo, Sir Henry — repetiu Edwards.

— Espero, Edwards, que possa compreender claramente os pontos principais deste assunto. A moça morta estava para se tornar filha adotiva do sr. Jefferson. Duas pessoas tinham motivo para fazer tudo para que isso não acontecesse. Essas duas pessoas são o sr. Gaskell e a sra. Jefferson.

Os olhos do criado brilharam repentinamente.

— Poderia perguntar se estão sob suspeita, senhor?

— Não correm risco de serem presos, se é isso que quer dizer. Mas a polícia está inclinada a suspeitar deles e continuará assim *até que o assunto seja esclarecido.*

— Uma situação desagradável para eles, senhor.

— Muito desagradável. Mas agora, para chegarmos à verdade, precisamos dispor de *todos* os fatos do acaso.

Muita coisa depende, deve depender, das reações, das palavras e dos gestos do sr. Jefferson e de sua família. Como se sentiram, o que demonstraram, o que disseram? Estou-lhe perguntando, Edwards, como uma informação interna... a espécie de informação que só você tem condições de dar. Você conhece as manias de seu patrão. De sua observação pode intuir o que as provoca. Estou lhe perguntando isso, não como policial mas como amigo do sr. Jefferson. Quer dizer, se tudo que você disser não for, na minha opinião, importante para o caso, não o passarei à polícia.

Fez uma pausa. Edwards disse calmamente:

— Eu o compreendo, senhor. O senhor quer que eu fale com muita franqueza. Que eu diga coisas que numa situação normal não deveria dizer. E coisas que o *senhor* nunca sonharia ouvir.

— Você é um sujeito muito inteligente, Edwards — disse Sir Henry. — É exatamente isso que quero dizer.

Edwards ficou calado por um ou dois minutos, depois começou a falar.

— É claro que hoje conheço o sr. Jefferson muito bem. Há anos que o acompanho. E sei quando está *fora* de si e quando está *em si*. Às vezes me tenho perguntado se conviria realmente a alguém lutar contra o destino como o sr. Jefferson tem lutado. Tem pago um pesado tributo por isso, senhor. Se às vezes pudesse ter cedido, sendo um homem infeliz, solitário e alquebrado, bem, acho que no fim teria sido melhor para ele. Mas é orgulhoso demais para isso! Morrerá lutando. É o seu lema. Mas esse tipo de coisa, Sir Henry, causa muita reação nervosa. Ele parece um homem de temperamento brando e controlado. Tenho-o visto tomado de acessos de cólera, quando quase não pode falar de tanta raiva. E a única coisa que o irrita, senhor, é ser enganado...

— Você está dizendo isso por algum motivo particular, Edwards?

— Sim, senhor. O senhor não me pediu para falar francamente?

— Perfeitamente.
— Então, Sir Henry, na minha opinião, a jovem por quem o sr. Jefferson foi tão atraído não era digna disso. Para ser franco, era uma mulher vulgar. Ela não morria de amores pelo sr. Jefferson. Toda aquela demonstração de afeto e gratidão era conversa fiada. Não digo que houvesse qualquer malícia da parte dela, mas não era, de modo geral, o que o sr. Jefferson pensava dela. Era engraçado, pois o sr. Jefferson foi sempre uma pessoa sagaz; não era de se enganar facilmente com as pessoas. Mas aí está, um cavalheiro não se controla quando está em jogo uma jovem senhora. A jovem sra. Jefferson, de quem ele dependera sempre pela solidariedade, mudara um bocado neste verão. Ele notou isso e não gostou. Ele lhe queria muito bem. Já do sr. Mark, nunca gostou muito.

Sir Henry o interrompeu:

— E, no entanto, o conservou sempre consigo, não é?
— Sim, mas isso foi por causa da srta. Rosamund. Era a sra. Gaskell. Era a menina de seus olhos. O sr. Mark era o marido de Rosamund. Ele sempre o concebeu assim.
— Suponhamos que o sr. Mark se tivesse casado novamente?
— O sr. Jefferson teria ficado furioso. Sir Henry levantou as sobrancelhas.
— Chegaria a tanto?
— Não o demonstraria, mas ficaria.
— E se a sra. Jefferson se casasse de novo?
— Sr. Jefferson não haveria de gostar tampouco.
— Continue, por favor, Edwards.
— Estava dizendo, senhor, que o sr. Jefferson foi tomado de afeição por aquela menina. Não foi a primeira vez que vi patrões como ele fazerem isso. A coisa se abate sobre eles como uma doença. Querem proteger a moça, defendê-la, e a cobrem de benefícios; e em cada dez moças, nove sabem aproveitar-se disso e não perdem a oportunidade.
— Então, na sua opinião, Ruby Keene era uma golpista?

— Bem, Sir Henry, era muito inexperiente, sendo tão jovem, mas tinha tudo de uma boa golpista, quando tivesse começado sua carreira, por assim dizer! Com mais cinco anos teria sido uma perita no assunto!

— É ótimo ouvir sua opinião sobre ela, Edwards — disse Sir Henry. — É uma opinião valiosa. Agora, recorda-se de algum incidente em que esse assunto fosse discutido entre o sr. Jefferson e seus familiares?

— Houve apenas uma pequena discussão. O sr. Jefferson anunciou o que pretendia fazer e não aceitou o protesto. Isto é, calou o sr. Mark, que foi um bocado franco. A sra. Jefferson não falou muito. É uma senhora muito calma. Só lhe pediu que não fizesse tudo tão apressadamente.

Sir Henry assentiu com a cabeça.

— Mais alguma coisa? Qual foi a atitude da moça?

Com declarado enfado o criado respondeu:

— Eu poderia dizer, senhor, que era de muito júbilo.

— Ah, sim? Você não tinha razão para crer, Edwards, que... (procurava uma frase adequada para Edwards)... que seu coração não estaria em outro lugar qualquer?

— O sr. Jefferson não estava lhe propondo casamento, senhor. Ele ia adotá-la.

— Tire as palavras "em outro lugar qualquer" e permanece a pergunta.

— Houve um incidente, senhor — disse o criado calmamente. — Aconteceu que fui testemunha.

— Isso é interessante. Conte-me.

— Talvez não haja nada de importante, senhor. Foi só que um dia, ao abrir a bolsa, a mocinha deixou cair uma foto. O sr. Jefferson apontou para ela e perguntou: "O que é isso, Kitten? Quem é?" Era a fotografia de um jovem, um jovem moreno, de cabelo desalinhado e a gravata mal-arrumada. A srta. Keene protestou dizendo não saber de nada. Ela dizia: "Não tenho a menor ideia, Jeffie. Não tenho a menor ideia. Não sei como isso foi parar na minha bolsa. Não fui eu quem a pôs ali!" Ora, o sr. Jefferson não era nenhum bobo. Essa história não estava bem-contada.

Ficou zangado, carrancudo e sua voz estava rouca quando disse: "Essa, não, Kitten, essa não, Kitten. Você sabe muito bem quem é." Ela mudou de tática imediatamente. Parecia amedrontada. "Ah, reconheço-o agora", disse ela. "Vem aqui às vezes e tenho dançado com ele. Não sei seu nome. É possível que aquele pobre-diabo tenha posto isto na minha bolsa. Esses rapazes são capazes de tudo!" Virou a cabeça, deu uma risadinha e ficou por isso mesmo. Mas a história não estava bem-contada, não é? Depois disso, olhou-a algumas vezes com a fisionomia carregada, e às vezes, quando ela saía, perguntava-lhe aonde tinha ido.

— Por acaso você viu alguma vez o original da foto no hotel? — perguntou Sir Henry.

— Não, Sir Henry. Mas, como o senhor sabe, muito raramente frequento os lugares públicos do hotel.

Sir Henry fez que sim com a cabeça. Fez mais algumas perguntas mas Edwards tinha muito pouco mais para lhe dizer.

II

No posto policial de Danemouth, o inspetor Harper entrevistava Jessie Davis, Florence Small, Beatrice Henniler, Mary Price e Lillian Ridgeway.

Eram jovens mais ou menos da mesma idade mas de mentalidades um tanto diferentes. Iam desde aldeãs até filhas de fazendeiros e de comerciantes. Todas diziam a mesma coisa: Pamela Reeves não manifestara nada fora do comum, não dissera nada a nenhuma delas, a não ser que ia à Woolworth's e que voltaria mais tarde, de ônibus, para casa. No canto da sala do inspetor, estava sentada uma senhora idosa. As moças mal a notaram. Se tivessem dado por sua presença, teriam se perguntado quem seria. Certamente não era a mãe de algum policial. Possivelmente teriam pensado tratar-se de outra testemunha como elas próprias.

A última moça tinha sido entrevistada. O inspetor Harper enxugou a fronte e se virou para olhar Miss Marple. Seu olhar era indagador mas não muito esperançoso.

Miss Marple, entretanto, falou com voz firme.

— Gostaria de falar com Florence Small. O inspetor franziu as sobrancelhas, mas concordou e tocou uma campainha. Apareceu um policial.

— Florence Small — disse Harper.

A moça reapareceu, conduzida pelo policial. Florence Small, filha de um rico fazendeiro, era uma moça alta, de cabelos claros, boca meio torta e olhos castanhos que pareciam assustados. Torcia as mãos e parecia nervosa.

O inspetor Harper olhou para Miss Marple, que assentiu com a cabeça. Harper levantou-se e disse:

— Esta senhora lhe fará algumas perguntas.

E saiu, fechando a porta atrás de si.

Florence olhava espantada para Miss Marple. Seus olhos tornavam-na semelhante a uma das bezerras do pai.

— Sente-se, Florence — disse Miss Marple.

Florence Small sentou-se obedientemente. Sem saber por quê, sentiu-se subitamente mais à vontade, menos desconfortável. A atmosfera fria e aterrorizadora de um posto policial fora substituída por outra mais familiar. Não havia mais o tom habitual de comando de alguém cuja função era dar ordens.

— Você deve compreender, Florence — disse Miss Marple —, que é de primordial importância saber tudo sobre os passos da pobre Pamela no dia de sua morte.

Florence murmurou que compreendia perfeitamente.

— Acho que deve fazer tudo de sua parte para nos ajudar. Florence tinha uma expressão de desconfiança quando respondeu que sim.

— Esconder qualquer informação é um crime muito grave — disse Miss Marple.

Florence Small torcia nervosamente os dedos no seu colo. Engoliu em seco duas vezes.

— Posso levar em conta — continuou Miss Marple — o fato de estar naturalmente alarmada por ter sido trazida à polícia. Você receia também vir a ser censurada por não ter falado antes. É possível que tenha receio de poder também ser censurada por não ter advertido Pamela a tempo. Mas precisa criar coragem e se desabafar contando tudo. Se você se recusa agora a dizer o que sabe, o negócio poderá complicar-se, tornar-se grave e chegar mesmo a ser um *perjúrio* que, como você sabe, pode dar cadeia.

— Eu... eu não...

Miss Marple a interrompeu inflexível.

— Chega, Florence! Conte-me tudo imediatamente! Pamela não ia à Woolworth's, ia?

Florence passou nos lábios a língua seca e olhou para Miss Marple como se pedisse misericórdia, como um animal prestes a ser abatido.

— Alguma coisa a ver com o cinema, não era? — perguntou Miss Marple.

Uma expressão de profundo alívio e de estupefação estampou-se no rosto de Florence. Suas inibições desapareceram.

— Oh, sim! — respondeu com a voz entrecortada.

— Foi o que pensei — disse Miss Marple. – Agora, que tal contar os detalhes?

As palavras saíram de Florence aos borbotões.

— Oh! Eu estava tão preocupada. Tinha prometido a Pam que não diria nada a ninguém. E então, quando ela foi encontrada toda queimada naquele carro... Oh! foi horrível e achei que eu devia *morrer*... Achei que a culpa tivesse sido minha. Eu devia tê-la impedido. Só que não pensei, nem por um instante, que houvesse alguma coisa de errado. E depois me perguntaram se tudo fora normal com ela naquele dia e respondi que sim, antes de ter tempo para pensar. E, não tendo dito nada, não sabia como poderia dizer alguma coisa depois. E, afinal de contas, eu não sabia de nada, realmente de nada, a não ser o que Pam tinha me dito.

— O que foi que Pam lhe disse?

— Nós estávamos caminhando pela avenida para ir tomar o ônibus para a reunião. Ela me perguntou se seria capaz de guardar um segredo e eu disse que sim. Ela me fez jurar que o guardaria. Pam ia fazer um teste fotográfico em Danemouth, depois da reunião! Conhecera um produtor de filmes, e de Hollywood mesmo. Ele queria um certo tipo para personagem e disse a Pam que ela era exatamente a pessoa que buscava. Mas a advertiu dizendo que só isso não bastava. O teste fotográfico era que decidia tudo. Depois de fotografada, muitas vezes, a pessoa não serve. Precisava de alguém muito jovem. Era uma colegial que trocara de lugar com uma artista de revista e conseguiu uma carreira maravilhosa. Pam representava em peças na escola e trabalhava muito bem. Disse que queria ver como ela desempenharia o papel, mas para isso precisaria de treinamento intensivo. O trabalho era pesado, não seria apenas diversão. Será que ela aguentaria?

Florence Small fez uma pausa para respirar. Miss Marple sentiu-se angustiada ao ouvir os chavões batidos de romance e histórias cinematográficas sem fim. Pamela Reeves, como a maioria das moças, teria sido advertida para não conversar com estranhos. Mas a magia dos filmes a tinha feito esquecer a cautela.

— Ele lhe propunha o negócio em termos realmente comerciais — continuou Florence. — Dizia que, se passasse no teste, lhe daria um contrato. Mas, como ela era jovem e inexperiente, precisava mandar um advogado ler os termos do contrato antes de assiná-lo. Mas que não dissesse a ninguém que *ele* lhe havia dito isso. Perguntou se teria alguma dificuldade com seus pais e Pam respondeu que sim, que provavelmente teria. E ele disse: "Bem, é sempre assim quando se trata de pessoas jovens como você, mas acho que se os convencermos de que é uma oportunidade maravilhosa para você, que acontece uma vez em um milhão, eles consentirão. Mas, de qualquer maneira, disse ele, não seria bom tocar no assunto antes do resultado do teste." Ela não deveria ficar decepcionada, se não desse certo. Falou sobre Hollywood e sobre Vivien Leigh, como ela tomara Londres de surpresa e como deu aquela arrancada sensacional para a fama. Ele mesmo voltara dos Estados Unidos para trabalhar com os Estúdios Lemville e dar um pouco de vida às companhias cinematográficas da Inglaterra.

Miss Marple meneou a cabeça.

Florence continuou.

— Assim ficou tudo acertado. Pam devia ir a Danemouth depois da reunião e encontrar-se com o produtor em seu hotel, e ele a levaria para os estúdios (tinham um pequeno estúdio de teste em Danemouth, lhe dissera). Ela faria o teste e depois tomaria o ônibus de volta para casa. Poderia dizer que tinha vindo fazer compras e dentro de poucos dias ele lhe daria o resultado. Se fosse favorável, o sr. Harmsteiter, o patrão, iria conversar com seus pais. Tudo parecia maravilhoso! Fiquei morta de inveja de Pam. Ela passou toda a reunião sem dar um sinal. Nós a chamávamos sempre de *sonsa*. Então, quando disse que ia fazer compras em Danemouth, piscou para mim. Eu a vi descendo a estrada — Florence começou a chorar. — Eu devia tê-la parado. Não devia tê-la deixado ir. Devia saber que tudo aquilo não podia ser verdade. Devia ter dito a alguém. Oh, querida, antes eu tivesse morrido.

— Acalme-se, acalme-se — Miss Marple lhe bateu levemente no ombro. — Você não fez nada errado. Ninguém a censurará. Agiu muito bem me contando tudo.

Miss Marple ficou alguns minutos a consolar a moça.

Instantes depois, estava contando a história ao inspetor Harper, que tinha o olhar sombrio.

— Aquele demônio! — disse ele. — Vou acabar com o jogo dele. Isso dá outro sentido aos acontecimentos.

— Sim, dá.

O inspetor Harper olhou-a de viés.

— Isso não a surpreende?

— Esperava algo parecido.

— Por que a senhora foi direto nessa jovem? — perguntou Harper com curiosidade. — Todas pareciam mortas de medo e não havia, quanto eu pudesse ver, qualquer indício para distinguir uma das outras.

Miss Marple disse calmamente:

— O senhor não tem a experiência que tenho com moças que mentem. Florence, se o senhor se lembra, olhava-o muito de frente, e ficou rígida e tinha os pés irrequietos como todas as demais. Mas o senhor não a observou quando saiu da sala. Vi imediatamente que estava escondendo alguma coisa. Elas quase sempre relaxam imediatamente. Minha empregada Janet é assim. Ela explica muito convincentemente que os ratos comeram o resto de um bolo e se afasta com um sorriso afetado.

— Agradeço-lhe muito, Miss Marple — disse Harper.

E acrescentou pensativo:

— Estúdios Lemville, hein?

Miss Marple não disse nada. Apenas levantou-se.

— Sinto muito, mas preciso ir logo. Alegro-me por lhe ter podido ser útil.

— A senhora vai voltar ao hotel?

— Sim, para arrumar a mala. Preciso voltar a St. Mary Mead o mais depressa possível. Tenho muito o que fazer por lá.

Capítulo 15

I

Miss Marple passou pela porta envidraçada de sua sala de estar, atravessou com passos leves e curtos seu jardim bem-tratado, saiu pelo portão, entrou pelo portão do jardim da casa paroquial, atravessou o gramado e se aproximou da janela da sala de estar, onde bateu de leve na almofada.

O pastor estava ocupado em seu gabinete, preparando o sermão de domingo, mas sua esposa, uma mulher jovem e simpática, admirava o progresso de seu filho engatinhando no tapete.

— Posso entrar, Griselda?

— Como não, Miss Marple. Olhe o David. Ele fica zangado porque só consegue engatinhar no sentido contrário. Quer apanhar alguma coisa e, quanto mais ele tenta, mais se distancia.

— Ele está muito bonitinho, hein, Griselda?

— Não está mal, não é? — disse a jovem mãe, esforçando-se para assumir uma atitude de indiferença. — É claro que não me preocupo demais com ele. Todos os livros dizem que se deve deixar uma criança o mais possível à vontade.

— Muito sábio, querida — disse Miss Marple. — Bem, vim saber se você está angariando donativos para alguma finalidade especial neste momento.

A esposa do pastor olhou-a espantada.

— Oh, um bocado de coisas — disse alegremente. — Como sempre.

Começou a contá-las nos dedos.

— Para a restauração da nave, para a missão de St. Giles, para nosso leilão de prendas na próxima quarta-feira, para as mães solteiras, para uma excursão de escoteiros, para a Associação das Costureiras, para a campanha do bispo para os pescadores de alto-mar.

— Qualquer uma delas serve — disse Miss Marple. — Achei que poderia ajudá-la um pouco... passando um livro, se me autorizar a fazê-lo.

— A senhora está tramando alguma coisa? Creio que está. Mas é claro que a autorizo. Faça isso pelo leilão. Seria tão bom conseguir dinheiro de verdade em vez daqueles sachês horrorosos e aquelas camisolas infantis deprimentes e aqueles espanadores, tudo feito para se parecer com bonecas. Será que a senhora — continuou Griselda, acompanhando-a à porta — não gostaria de me dizer de que se trata?

— Mais tarde, querida. Mais tarde — disse Miss Marple apressando-se.

Com um suspiro a jovem mãe voltou ao tapete e, como para se desfazer de seu princípio de ostensiva despreocupação, deu três pancadinhas no estômago do filho, de modo que pudesse agarrar seu cabelo e puxar com gritos de alegria. Em seguida, rolaram numa luta selvagem, até que a porta se abriu e a empregada da casa paroquial anunciou o fiel mais influente da paróquia (que não gostava de crianças).

— A patroa está aqui.

Ao ouvir isso, Griselda levantou-se e procurou uma postura mais digna da esposa de um pastor.

II

Miss Marple, segurando um caderno preto com anotações feitas a lápis, caminhava rapidamente pela rua da aldeia até que chegou ao cruzamento. Ali voltou-se para a esquerda, passou pelo Blue Boar e parou diante da "casa nova do sr. Booker".

Entrou pelo portão, subiu as escadinhas que conduziam à porta principal, onde bateu com pancadinhas rápidas.

A porta foi aberta pela jovem loura que se chamava Dinah Lee. Estava menos maquiada do que de costume e, na realidade, parecia um pouco suja. Usava calça cinza e uma blusa cor de esmeralda.

— Bom dia — disse Miss Marple num tom rápido e alegre. — Posso entrar por alguns instantes?

Ela avançava enquanto falava, de modo que Dinah Lee, espantada com a visita, não teve tempo de tomar uma decisão.

— Muito obrigada — disse Miss Marple, mostrando-se amável e sentando-se cuidadosamente numa cadeira de bambu muito na moda. — Quente demais para esta época do ano, não acha? — continuou Miss Marple, desfazendo-se em amabilidades.

— Sem dúvida, faz muito calor — concordou a srta. Lee. Sem saber como conduzir a situação, abriu uma caixa de cigarros e ofereceu a Miss Marple.

— Aceita um cigarro?

— Obrigada, não fumo. Só vim aqui para pedir seu auxílio para nosso leilão de prendas, na próxima semana.

— Leilão de prendas? — disse Dinah Lee, como quem repete uma frase numa língua estrangeira.

— Na casa paroquial — disse Miss Marple. — Na próxima quarta-feira.

— Oh! — a srta. Lee ficou de boca aberta. — Sinto muito, mas não posso...

— Nem mesmo uma pequena subscrição... talvez uma meia coroa?

Miss Marple lhe apresentou o livrete.

— Oh, sim, mas não sei se tenho algum trocado aqui.

A moça parecia aliviada e se voltou para remexer na bolsa. O olhar astuto de Miss Marple percorria toda a sala.

— Estou vendo que a senhora não tem tapete diante da lareira — observou.

Dinah Lee virou-se e a encarou. Não tinha a menor dúvida de que a velha senhora a estivesse examinando minuciosamente, mas não teve outro sentimento que não fosse de tédio. Miss Marple o percebeu.

— É perigoso. As fagulhas podem saltar e chamuscar o tapete.

"Bisbilhoteira", pensava Dinah, mas lhe respondeu de modo afável embora um tanto vago.

— Havia um aqui. Não sei aonde foi parar.

— Acho que era de um tecido macio e lanoso, não era?

— De pele de ovelha — disse Dinah. — Era com que se parecia.

Ela agora se divertia. Que velha mais excêntrica. Ofereceu-lhe meia coroa.

— Aqui está — disse ela.

— Oh, muito obrigada, querida.

Miss Marple a recebeu e abriu o livrete.

— Que nome devo anotar?

O olhar de Dinah tornou-se de repente duro e desdenhoso.

"Velha intrometida", pensava Lee, "foi para isso que ela veio... para espalhar o escândalo."

Respondeu claramente e com prazer malicioso.

— Srta. Lee.

Miss Marple olhou para ela firmemente.

— Não é a casa do sr. Basil Blake?

— Sim, e eu sou a srta. Dinah Lee!

Sua voz assumiu o tom de desafio, jogou a cabeça para trás e seus olhos azuis faiscaram.

Miss Marple continuava a fixá-la.

— A senhorita me permitiria dar-lhe um conselho, muito embora possa parecer impertinente? — perguntou.

— Eu o *considerarei* impertinente. É melhor a senhora não dizer nada.

— No entanto, vou dizer. Quero aconselhá-la, veementemente, a não continuar a usar seu nome de solteira na aldeia.

Dinah olhou para ela.

— O que a senhora quer dizer com isso?

Miss Marple respondeu num tom grave e solene:

— Brevemente a senhora poderá precisar de toda solidariedade e boa vontade que puder encontrar. Seria importante para seu marido também que se pense bem dele. Há no interior muito preconceito com relação a pessoas que vivem juntas sem serem casadas. Estou certa de que isso os divertia muito, se é o que procuravam. Manter o povo a distância, de modo que não fossem incomodados pelo que os senhores devem chamar de "matronas". No entanto, as matronas também têm suas utilidades.

— Como foi que a senhora ficou sabendo que éramos casados? — perguntou Dinah.

Miss Marple esboçou um sorriso suplicante.

— Oh, querida! — disse ela.

Dinah insistiu.

— Mas como foi que a senhora soube? A senhora não foi... não foi à Somerset House?

Os olhos de Miss Marple cintilaram momentaneamente.

— Somerset House? Oh, não. Mas era muito fácil de se *imaginar*. Tudo corre pela aldeia. O tipo de brigas que vocês têm... típicas dos primeiros dias do casamento. Muito... muito diferente das relações ilícitas. Já se disse, a senhora sabe (e eu acho que é uma verdade), que um casal só pode brigar de verdade quando é realmente casado. Quando não há nenhum vínculo *legal*, as pessoas são muito mais cuidadosas, têm que se convencer de que tudo é feliz e sereno. Elas têm de se *justificar*. Não ousam discutir. As pessoas casadas, já notei, gostam muito de brigar e também das reconciliações.

Fez uma pausa, piscando os olhos benignamente.

— Bem, eu... — Dinah parou e deu uma risada. Sentou-se e acendeu um cigarro. — A senhora é maravilhosa.

E continuou:

— Mas, por que a senhora quer que confessemos a verdade e aceitemos a respeitabilidade?

A expressão de Miss Marple tornou-se sombria.

— Porque, a qualquer momento, *seu marido poderá ser preso por assassinato*.

III

Dinah ficou olhando para ela durante alguns instantes. Em seguida, perguntou incrédula:

— Basil? Assassino? A senhora está brincando?

— Não, de modo algum. Não tem lido os jornais?

Dinah prendeu a respiração.

— A senhora se refere àquela moça... do Majestic Hotel? Acha que suspeitam de Basil como seu assassino?

— Sim, suspeitam.

— Mas é um contrassenso!

Ouviu-se um ranger de pneus do lado de fora e em seguida a batida de um portão. Basil Blake escancarou a porta e entrou carregando algumas garrafas.

— Trouxe o gim e o vermute. Você...?

Parou e fixou seus olhos incrédulos na visitante empertigada e ereta.

Dinah explodiu ofegante:

— Ela está louca, não está? Está dizendo que você vai ser preso pelo assassinato daquela moça, Ruby Keene.

— Meu Deus! — disse Basil Blake. — As garrafas caíram de suas mãos sobre o sofá. Ele se jogou numa poltrona, afundou-se nela e cobriu o rosto com as mãos. — Meu Deus! Meu Deus! — repetiu.

Dinah atirou-se sobre ele, sacudindo seus ombros.

— Basil, olhe para mim! Não é verdade! Eu sei que não é verdade! Nem por um momento posso crer nisso!

Basil levantou as mãos e segurou as de sua esposa.

— Obrigado, querida.

— Mas por que eles iriam suspeitar... Você nem a *conhecia*, conhecia?

— Oh, sim, eu a conhecia.

— Sim, ele a conhecia — disse Miss Marple.

— Cale a boca, bruxa velha — gritou altivo. — Ouça, Dinah querida, eu praticamente não a conhecia. Encontrei-a duas vezes no máximo no Majestic. É tudo, juro que é tudo.

— Não compreendo — disse Dinah, perplexa. — Por que, então, iriam suspeitar de você?

Basil gemeu. Cobriu os olhos com as mãos e se balançava para lá e para cá.

— O que é que o senhor fez do tapete? — perguntou Miss Marple.

— Eu o joguei na lata de lixo — respondeu automaticamente.

— Foi uma tolice, uma tolice. Ninguém joga fora tapetes bons.

Havia ali lantejoulas do vestido dela, não havia?

— Sim, não consegui arrancá-las.

Dinah gritou:

— Do que vocês estão falando?

Basil respondeu mal-humorado:

— Pergunte a esta senhora. Ela parece saber de tudo.

— Se quiser, poderei dizer-lhe o que acho que aconteceu — disse Miss Marple. — Queira corrigir-me, sr. Blake, se cometer algum erro. Acho que depois de ter uma briga violenta com sua esposa numa festa e depois de ter, talvez, bebido demais, o senhor apanhou o carro e voltou para casa. Não sei a que horas o senhor chegou...

— Por volta das duas da madrugada — disse Basil Blake num tom sombrio. — Pensei primeiro em ir à cidade, mas quando cheguei aos subúrbios mudei de ideia. Achei que Dinah pudesse chegar depois de mim. Por isso voltei para cá. Tudo estava escuro. Abri a porta e acendi a luz e vi... e vi...

Engoliu em seco e parou. Miss Marple continuou:

— Viu uma moça estendida no tapete... uma moça vestindo um toalete branco... e estrangulada. Não sei se a reconheceu logo...

Basil Blake sacudiu a cabeça violentamente.

— Não pude reconhecê-la à primeira vista. Seu rosto estava azulado... inchado. Tinha sido morta havia algum tempo e estava aqui... na *minha* sala.

Ele estremeceu.

— É claro que o senhor não estava em si — disse Miss Marple compreensiva — Estava bêbado e seus nervos estavam à flor da pele. Deve ter sido tomado de pânico. O senhor não sabia o que fazer...

— Pensei que Dinah poderia chegar a qualquer momento. Haveria de me encontrar aqui com um cadáver, o cadáver de uma moça, e iria pensar que eu a tivesse matado. Então tive uma ideia. No momento, não sei por quê, me pareceu uma boa ideia. Pensei: "vou colocá-la na biblioteca do velho Bantry." Aquele diabo de velho pomposo, sempre me olhando com desprezo, zombando de mim como se eu fosse um artista e efeminado. Aquele velho merece isso, pensei. Vai ficar maluco quando encontrarem no seu tapete o corpo desta loura.

E acrescentou, com uma ansiedade patética de explicar:

— Eu estava um bocado bêbado na hora. Achei divertido. O velho Bantry com uma loura morta.

— Pois é — disse Miss Marple —, o pequeno Tommy Bond teve exatamente a mesma ideia. Era um garoto muito sensível, com complexo de inferioridade. Dizia que sua professora estava sempre implicando com ele. Pôs uma rã no relógio, que saltou em cima dela. O senhor fez a mesma coisa — continuou Miss Marple. — Só que os cadáveres, naturalmente, são um assunto mais sério do que rãs.

Basil gemeu de novo.

— Pela manhã, já estava sóbrio. Foi então que me dei conta do que tinha feito. Fiquei alarmado. Depois a polícia veio aqui. Outro asno pomposo, aquele chefe de polícia. Fiquei assustado. E a única maneira que achei para dissimular meu temor foi tratá-lo com extrema rudeza. No meio disso tudo, Dinah voltou.

Dinah olhou pela janela.

— Está chegando um carro... com alguns homens.

— Deve ser a polícia — disse Miss Marple.

Basil Blake levantou-se. De repente, tornou-se calmo e resoluto. Chegou mesmo a sorrir, e disse:

— Então não há outro remédio, não é? Está bem. Dinah, querida, controle-se. Procure o velho Sims. É o advogado da família. Vá e conte a mamãe tudo sobre nosso casamento. Ela não vai ficar zangada. Não se preocupe. *Eu não sou criminoso.* Portanto, tudo se esclarecerá. Está bem, querida?

Bateram à porta.

— Entre — gritou Basil.

O inspetor Slack entrou com outro policial.

— Sr. Basil Blake? — perguntou.

— Sim — respondeu Basil.

— Trago um mandado de prisão contra o senhor, sob a acusação de ter assassinado Ruby Keene, na noite de 21 de setembro. Advirto que qualquer coisa que o senhor disser poderá ser usada em seu julgamento. Queira acompanhar-me. Todas as facilidades lhe serão proporcionadas para entrar em contato com seu advogado.

Basil assentiu com a cabeça.

Olhou para Dinah, mas não a tocou.

— Até logo, Dinah.

"Sujeito frio", pensou o inspetor Slack, que percebeu a presença de Miss Marple e a cumprimentou com uma meia inclinação e um bom-dia e pensou: "Velha sabida, está sempre em todas. Foi um bom trabalho termos apanhado aquele tapete. Aquilo e a informação do guardador de carros do estúdio de que ele saiu da festa às *onze* e não à meia-noite. Não é possível que aqueles seus amigos quisessem cometer perjúrio. Eles estão encalacrados. Blake lhes disse no dia seguinte que saíra à meia-noite e acreditaram nele. Bem, ele está frito. Deve ser um doente mental. É caso de hospício e não de forca. Primeiro, foi a garota Reeves. Provavelmente a estrangulou, levou-a de carro para a pedreira, voltou a pé para Danemouth, apanhou seu próprio carro em alguma estrada lateral, voltou a Danemouth, trouxe Ruby Keene para aqui, estrangulou-a e deixou-a na biblioteca do velho Bantry. Depois, provavelmente, foi terminar o trabalho com o carro na pedreira. Foi lá, pôs fogo no carro e voltou. Um louco obcecado por sexo e sangue. Foi sorte *desta* moça escapar. É isso que se chama de estado maníaco."

A sós com Miss Marple, Dinah Blake voltou-se para ela.

— Não sei quem é a senhora, mas quero que fique sabendo que *Basil não fez isso!*

— Sei que ele não fez — disse Miss Marple. — Eu sei *quem* foi. Mas não vai ser fácil prová-lo. Tenho a impressão de que algo que a senhora disse agora mesmo pode servir. Deu-me uma ideia... a ligação que estava tentando encontrar. Agora, o que era?

Capítulo 16

I

— Eis-me de volta, Arthur! — exclamou a sra. Bantry, anunciando sua chegada como uma proclamação real, ao irromper pela porta escancarada de seu gabinete.

O coronel Bantry levantou-se, beijou a esposa e disse cordialmente:

— Ótimo, ótimo, esplêndido!

As palavras não eram de censura, mas a sra. Bantry, afetuosa e companheira de tantos anos, não se enganava. Perguntou imediatamente;

— Algum problema?

— Oh, não, é claro que não, Dolly. O que poderia haver?

— Oh, não sei — respondeu a sra. Bantry vagamente: — As coisas andam tão esquisitas, não andam?

Ela tirava o casaco enquanto falava. O coronel Bantry o apanhou e o estendeu cuidadosamente sobre o encosto do sofá.

Tudo como de costume. Mas de qualquer maneira havia algo de anormal. Seu marido, pensava a sra. Bantry, dava a impressão de se ter encolhido. Parecia mais magro e mais encurvado; estava com olheiras e seus olhos evitavam encará-la.

Continuou falando, embora com uma cordialidade afetada.

— Então, distraiu-se bastante em Danemouth?

— Oh, foi muito divertido. Você deveria ter ido, Arthur.

— Não podia afastar-me, querida. Tinha muita coisa para fazer.

— Mas continuo achando que a mudança lhe teria feito bem. E não gosta dos Jefferson?

— Sim, sim, pobre coitado. Um belo sujeito. Tudo muito triste.

— O que é que andou fazendo durante minha ausência?

— Não muito, não muito. Estive nas fazendas, como você sabe. Concordei que Anderson precisa de um novo teto. O antigo não suporta mais consertos.

— Como foi a reunião do conselho de Radfordshire?
— Bem, para dizer a verdade, não compareci.
— Não? Mas você não ia tomar posse?
— Sabe, Dolly, parece que houve um engano. Perguntaram-me se não me incomodaria de ceder o lugar a Thompson.
— Ah, *compreendo* — disse a sra. Bantry.

Arrancou uma luva e a atirou deliberadamente na cesta de papéis usados. Seu marido foi apanhá-la mas ela o deteve, dizendo abruptamente:
— Deixe para lá. Detesto luvas.

O coronel Bantry olhou para ela constrangido.

A sra. Bantry perguntou-lhe rispidamente:
— Você foi jantar com os Duff na quinta-feira?
— Ah, sim! Foi adiado. O cozinheiro estava doente.
— Gente estúpida! — disse a sra. Bantry. — E continuou: — Foi à casa dos Naylon ontem?
— Eu lhes telefonei, pedindo desculpas, porque não me sentia bem. Eles compreenderam.
— Compreenderam, não é? — disse a sra. Bantry, carrancuda.

Sentou-se junto à escrivaninha e distraidamente apanhou uma tesoura de jardineiro. Com ela cortou os dedos, um a um, de sua segunda luva.
— O que está fazendo, Dolly?
— Sinto-me destrutiva — disse a sra. Bantry.

E levantou-se.
— Onde nos sentaremos depois do jantar, Arthur? Na biblioteca?
— Bem... acho que não... não é? Não está bom aqui ou na sala de estar?
— Acho que nos sentaremos na biblioteca — disse a sra. Bantry. Seu olhar firme cruzou-se com o dele. O coronel Bantry empertigou-se todo. Seus olhos faiscaram.
— Você tem razão, querida. Vamos sentar-nos na biblioteca!

II

A sra. Bantry recolocou o fone no gancho com um suspiro de enfado. Ligara duas vezes e a resposta tinha sido a mesma: "Miss Marple não está."

De natureza impaciente, não era dessas pessoas que se conformam com uma derrota. Discou sucessivamente para a casa paroquial, para a sra. Price Ridley, para Miss Hartwell, Miss Wetherby e, em último recurso, para o peixeiro que, em virtude de sua vantajosa posição geográfica, sabia geralmente onde se encontrava todo mundo na aldeia.

O peixeiro sentia muito, mas naquela manhã não tinha visto Miss Marple na aldeia. Não tinha feito seu passeio habitual.

— Onde *estará* aquela mulher? — perguntou em voz alta a sra. Bantry, impaciente.

Ouviu uma tosse característica atrás de si. O discreto Lorrimer murmurou:

— A senhora está procurando Miss Marple, madame? Acabo de vê-la aproximando-se aqui de casa.

A sra. Bantry correu para a porta da frente, abriu-a e saudou Miss Marple, ofegante.

— Estive procurando-a por *toda parte*. Onde você se meteu? — olhou por cima do ombro: Lorrimer tinha desaparecido. — Tudo é horrível demais! Estão começando a isolar Arthur. Parece *anos* mais velho. *Precisamos* fazer alguma coisa. Você precisa fazer alguma coisa!

— Não se preocupe, Dolly — disse Miss Marple, num tom de voz peculiar.

O coronel Bantry apareceu à porta do escritório.

— Ah, Miss Marple. Bom dia. Muito prazer em vê-la. Minha mulher procurava-a como uma louca.

— Achei bom vir dar a notícia — disse Miss Marple, ao acompanhar a sra. Bantry ao escritório.

— Notícia?

— Basil Blake acaba de ser preso pelo assassinato de Ruby Keene.

— Basil Blake? — exclamou o coronel.

— Mas não foi ele — disse Miss Marple.

O coronel Bantry não prestou atenção a essa afirmação. Dava a impressão mesmo de não a ter ouvido.

— A senhora quer dizer que estrangulou aquela moça e depois a arrastou e a pôs na *minha* biblioteca?

— Ele a pôs na sua biblioteca — respondeu Miss Marple —, mas não a matou.

— É um contrassenso! Se a colocou na minha biblioteca, então a matou. As duas coisas vêm juntas.

— Não necessariamente. Ele a encontrou morta na casa dele.

— Uma história verossímil — disse o coronel ironicamente. — Se encontrarmos um cadáver e formos gente honesta, o que deveremos fazer? Chamar a polícia, não é?

— Ah — disse Miss Marple —, mas nem todos têm nervos de aço como o senhor, coronel Bantry. O senhor pertence à velha escola. A geração mais nova é diferente.

— Não tem fibra — disse o coronel, repetindo uma opinião já batida.

— Alguns deles — continuou Miss Marple — têm passado por maus momentos. Fiquei sabendo de muita coisa sobre Basil. Ele praticou um ato de heroísmo com apenas 18 anos. Entrou numa casa incendiada e salvou quatro crianças, uma depois da outra. Voltou para apanhar um cão, embora lhe dissessem que não era seguro. O prédio desabou em cima dele. Tiraram-no dali, mas seu peito foi esmagado e teve de ficar engessado quase um ano, e ficou doente durante muito tempo. Foi quando passou a se interessar por desenho.

— Oh — o coronel tossiu e assoou o nariz. — É, eu nunca soube disso.

— Ele não toca nesse assunto — disse Miss Marple.

— Muito bem. Uma grande alma. O rapaz tem mais qualidades do que eu pensava. Sempre achei que fosse um desertor. Isso mostra que não nos devemos precipitar nas conclusões.

O coronel Bantry parecia envergonhado.

— Mas, seja como for — sua raiva voltou à tona —, por que teria querido atirar-me a responsabilidade de um crime?

— Não creio que essa tenha sido sua intenção — disse Miss Marple. — Acho que o fez mais por brincadeira. Na ocasião, estava sob efeito do álcool.

— Ah, estava bêbado? — perguntou o coronel Bantry com a típica solidariedade do inglês com o excesso alcoólico. — Realmente, não se pode julgar um sujeito pelo que faz no estado de embriaguez. Quando eu estava em Cambridge, lembro de ter posto um certo utensílio... bem, bem, deixemos para lá. Foi uma confusão dos diabos.

Ele riu por entre os dentes. Em seguida, se conteve, tornando-se sisudo. Olhou Miss Marple com um olhar penetrante, inteligente e indagador.

— A senhora acha que não foi ele, não é?

— Tenho certeza de que não foi.

— E sabe quem foi?

Miss Marple assentiu com um gesto de cabeça.

— Ela não é maravilhosa? — exclamou a sra. Bantry como um coro grego extático para um mundo indiferente.

— Então, quem é?

— Venho pedir sua ajuda. Acho que se formos a Somerset House teremos uma boa ideia.

Capítulo 17

I

Sir Henry tinha o semblante sério.

— Não gosto disso — disse ele.

— Sei que não é o que o senhor chama de ortodoxo — ponderou Miss Marple. — Mas é *tão* importante, não é? Termos a absoluta *certeza*... "estar duplamente certos", como dizia Shakespeare. Acho que se o sr. Jefferson concordasse...

— E Harper? Não precisa ficar sabendo também?
— Poderia ser embaraçoso para ele saber demais. Mas o senhor pode dar-lhe uma pista. Vigiar certas pessoas... seguir-lhes os passos...
— Sim, isso resolveria o caso...

II

O inspetor Harper encarava Sir Henry com um olhar penetrante.
— Vamos esclarecer isso tudo, Sir Henry. O senhor vai me dar uma pista?
— Estou lhe dando conta do que acabo de ouvir de meu amigo. Ele não me pediu reserva. Pretende procurar amanhã um advogado em Danemouth para fazer um novo testamento.
As espessas sobrancelhas do inspetor baixaram sobre seus olhos fixos.
— O sr. Conway Jefferson pretende informar seu genro e sua nora de sua intenção? — perguntou.
— Sim, esta noite.
— Compreendo.
O inspetor batia na mesa com a caneta.
— Compreendo... — repetiu.
Mais uma vez seu olhar penetrante fixou os olhos de seu interlocutor.
— Quer dizer, então, que não está satisfeito com a solução Basil Blake? — perguntou Harper.
— O senhor está?
O bigode do inspetor tremeu.
— E Miss Marple?
Os dois homens se entreolharam.
— Deixe isso comigo — disse Harper. — Tenho gente especializada no assunto. Não será nada divertido, pode estar certo.
— Há mais uma coisa — disse Sir Henry. — Veja isto.

Sir Henry Clithering desdobrou uma folha de papel e a estendeu em cima da mesa.

Dessa vez o inspetor perdeu toda aquela calma que lhe era característica. Assobiou.

— Ah, então é isso? Então a coisa muda de figura. Como é que o senhor descobriu isso?

— As mulheres, sabe — explicou Sir Henry —, estão eternamente interessadas em casamentos.

— Especialmente as velhas solteironas — completou o inspetor Harper.

III

Conway Jefferson levantou os olhos quando seu amigo entrou.

Seu rosto sombrio abriu-se num sorriso.

— Já lhes comuniquei. Receberam tudo muito bem.

— O que foi que lhes disse?

— Disse-lhes que, uma vez que Ruby Keene morrera, achei que as cinquenta mil libras que quisera deixar para ela deviam ser destinadas a alguma coisa que eu pudesse associar à sua lembrança. Iria doá-las a uma casa para jovens dançarinas em Londres. Surpresos, engoliram, sem nada objetar. Mas é uma maneira estranha de legar uma fortuna. Como se eu fosse fazer uma coisa dessas!

E acrescentou pensativo:

— Eu perdi o juízo com aquela menina. Quem sabe se não estou ficando um velho caduco? Agora compreendo. Era uma bela criança, mas a maior parte do que eu via nela era criação minha. Pretendia que fosse outra Rosamund. A mesma aparência, mas não o mesmo coração, nem a mesma alma. Dê-me esse papel... é um interessante problema de bridge.

IV

Sir Henry desceu as escadas e fez uma pergunta ao porteiro.

— O sr. Gaskell? Acaba de sair de carro. Deve ter ido a Londres.

— Oh, compreendo. A sra. Jefferson está por aí?

— Acaba de se recolher.

Sir Henry correu a vista pelo salão do hotel e pela sala de dança. Hugo McLean, que fazia palavras cruzadas no salão, parecia completamente absorto. Na sala de dança, Josie sorria corajosamente na cara de um senhor gordo e suado, quando seus pés pequenos e ágeis escapavam de ser esmagados pelos pés de seu companheiro. O homem gordo evidentemente se deliciava com a dança. Raymond, elegante e enfastiado, dançava com uma jovem de aspecto anêmico, com adenoides, cabelos castanho-foscos, e que trazia um vestido caro e extremamente inadequado.

— *Então, para a cama* — murmurou Sir Henry e subiu as escadas.

V

Eram três horas da madrugada. O vento tinha cessado e a lua brilhava sobre o mar tranquilo.

No quarto de Conway Jefferson não se ouvia outro som além de sua respiração pesada.

Não havia nenhuma brisa para agitar as cortinas da janela, mas elas se mexiam... Num dado momento, abriram-se e uma silhueta se delineou à luz da lua. Em seguida, voltaram ao seu lugar. Tudo estava quieto novamente, mas havia alguém mais no quarto.

O intruso aproximava-se lentamente da cama. A respiração profunda sobre o travesseiro não parou.

Não se ouvia nada, ou quase nada. Um dedo e um polegar já estavam prontos para segurar uma dobra de pele, enquanto a outra mão segurava uma seringa.

Nesse momento, surgiu da sombra uma mão que se fechou na mão que segurava a seringa, enquanto o outro braço agarrava fortemente o intruso.

Uma voz fria, a voz da lei, exclamou:

— Dê-me essa seringa!

A luz foi acesa e de seu travesseiro Conway Jefferson encarou sombriamente a assassina de Ruby Keene.

Capítulo 18

I

— Como diz Watson, preciso conhecer seus métodos, Miss Marple — disse Sir Henry Clithering.

— Eu gostaria de saber o que foi que a conduziu à primeira pista — disse o inspetor Harper.

— É incrível, mas a senhora nos passou para trás mais uma vez. Quero ouvir tudo desde o começo — disse o coronel Melchett.

Miss Marple alisou a seda castanho-avermelhada de seu melhor toalete. Corou e sorriu. Parecia muito constrangida.

— Lamento que os senhores considerem meus "métodos", como Sir Henry os chama, como amadores. A verdade é que a maioria das pessoas... e não excluo os policiais... confia demais neste mundo mau. Acredita no que lhe dizem. Eu não. Sinto muito, mas gosto sempre de provar as coisas por mim mesma.

— É uma atitude científica — disse Sir Henry.

— Nesse caso — continuou Miss Marple —, determinadas coisas foram admitidas como certas desde o início, em vez de serem confirmadas pelos fatos. Os fatos, como os observei; a vítima era muito jovem, roía unhas e era um pouco dentuça, como acontece muitas vezes com as moças, se não corrigem o defeito a tempo, com um aparelho (e as crianças desobedientes costumam tirar o aparelho quando os mais velhos não veem).

"Mas estou fazendo uma digressão. Onde estava? Oh, sim, descrevendo a moça morta e lamentando, pois é sempre triste ver uma vida tão nova ceifada tão cedo, e pensando que quem tivesse feito aquilo deveria ser uma pessoa muito má. Naturalmente a coisa tornou-se confusa pelo fato de o cadáver ter sido encontrado na biblioteca do coronel Bantry. Parecia coisa que só se vê em livros. Na realidade, o plano não deu certo. A confusão estava no fato de não ter sido intencional. A ideia verdadeira tinha sido a de jogar o corpo na casa de Basil Blake (uma pessoa *muito* mais verossímil). Mas a ação de levar o cadáver para a biblioteca do coronel Bantry atrasou tudo consideravelmente, e deve ter sido uma fonte de grande aborrecimento para o *verdadeiro* assassino.

"Originalmente, o sr. Blake seria objeto de toda suspeita. Fizeram pesquisas em Danemouth, descobriram que conhecia a moça, depois souberam que estava ligado a outra jovem e, então, se presumiria que Ruby teria vindo fazer chantagem com ele, ou algo semelhante, e que Basil Blake a tinha estrangulado num acesso de raiva. O tipo do crime comum, sórdido, que se poderia chamar de crime de boate.

"Mas tudo saiu errado, é claro, e tudo se concentrou cedo demais na família Jefferson, para grande embaraço de uma certa pessoa.

"Como já lhes disse, sou muito propensa à desconfiança. Meu sobrinho Raymond me diz (é claro que por brincadeira e afetuosamente) que minha mente é como uma *fossa*; que, aliás, é assim a mente da maioria dos vitorianos. Tudo que posso dizer é que os vitorianos conhecem muito a natureza humana.

"Como estava dizendo, com esse tipo de mente insanitária... ou sanitária?... procurei imediatamente o ângulo do dinheiro. Duas pessoas se beneficiariam com a morte da moça. Não se pode ignorar isso. Cinquenta mil libras é dinheiro para valer, ainda mais quando se está em dificuldades financeiras, como era o caso de ambos. Naturalmente, todos pareciam pessoas decentes, agradáveis. Não pareciam as pessoas *prováveis*, mas nunca se pode afirmar, não é?

"A sra. Jefferson, por exemplo, todo mundo gostava dela. Mas parecia claro que se tornara muito irrequieta neste verão, e que estava cansada da vida que levava, completamente dependente de seu sogro. Sabia, porque o médico lhe dissera, que ele não poderia viver muito, *de modo que* tudo ia muito bem, falando com certa insensibilidade, ou teria corrido muito bem se Ruby Keene não tivesse aparecido. A sra. Jefferson era apaixonadamente devotada ao filho, e algumas mulheres têm uma ideia esquisita de que crimes cometidos por causa de seus filhos são quase moralmente justificáveis. Já tive desses casos na aldeia. "Bem, tudo foi por causa de Daisy, Miss Marple", dizem elas e parecem pensar que isso justifica sua conduta duvidosa. Um pensamento muito lasso.

"O sr. Gaskell, naturalmente, era um concorrente muito mais provável, se posso usar essa expressão esportiva. Era um aventureiro e não tinha, suponho, um código moral muito elevado. Mas, por certas razões, estava convicta de que havia uma *mulher* envolvida nesse crime.

"Como disse, à procura de um motivo, o ângulo do dinheiro me pareceu *bastante* sugestivo. Era, por conseguinte, irritante verificar-se que ambos tinham álibis para a hora em que Ruby Keene, de acordo com o laudo médico, tinha sido morta.

"Mas, logo depois, veio a descoberta do carro incendiado com o corpo de Pamela Reeves dentro dele, e então tudo saltou à vista. Os álibis, naturalmente, não tinham valor.

"Tinha então duas *metades* do caso, e ambas muito convincentes, mas não casavam. Devia haver uma *conexão*, mas não podia descobri-la. Uma pessoa que sabia estar envolvida no crime não tivera motivo.

"Como fui boba — disse Miss Marple, pensativa. — Não fosse Dinah Lee, eu não teria pensado nisso, a coisa mais lógica do mundo. Somerset House! Casamento! A questão não estava restrita ao sr. Gaskell ou à sra. Jefferson... havia mais algumas possibilidades de *casamento*. Se um ou outro fosse casado, ou mesmo se estivesse para se casar, então *a outra parte do contrato matrimonial estaria envolvida também*. Raymond, por exemplo, poderia alimentar a esperança de poder desposar uma viúva rica. Estava sempre com a sra. Jefferson, e foi seu charme, creio, que a despertou de sua longa viuvez. Ela se contentara em ser considerada como filha do sr. Jefferson, como Ruth e Naomi, só que Naomi, lembram-se, teve muita dificuldade em achar um marido conveniente para Ruth.

"Além de Raymond, havia o sr. McLean. Ela gostava muito dele e, ao que tudo indica, acabariam casando-se. Não está em boa situação financeira e não estava muito longe de Danemouth na noite do crime. Portanto, parecia, não acham — perguntou Miss Marple — que qualquer um poderia ter sido o assassino?

"Mas, é claro, no meu íntimo eu *sabia* realmente. Vocês não puderam esquecer aquelas unhas roídas, puderam?"

— Unhas? — respondeu Sir Henry. — Mas ela quebrou uma unha e cortou as outras.

— Bobagem — disse Miss Marple. — Unhas *roídas e unhas cortadas rente são coisas muito diferentes!* Quem conhece unhas de moças não pode enganar-se com isso. Unhas roídas são muito feias, eu sempre digo às meninas na minha sala. Aquelas unhas, como veem, eram *um fato. E só poderiam significar uma coisa. O corpo na biblioteca do coronel Bantry não* era *de Ruby Keene.*

"E isso leva diretamente à única pessoa que devia estar envolvida. *Josie!* Josie identificou o corpo. Ela sabia, devia saber, que o corpo não era de Ruby Keene. Ela disse que era. Josie ficou perplexa, realmente perplexa ao saber que o corpo havia sido encontrado na biblioteca. Ela, praticamente, traiu o fato. Por quê? Porque sabia, melhor do que ninguém, onde deveria ter sido encontrado! Na casa de Basil Blake. Quem voltou nossa atenção para Basil Blake? Josie ao dizer a Raymond que Ruby poderia ter saído com o moço do cinema. E, antes disso, introduzindo furtivamente na bolsa de Ruby uma fotografia de Basil Blake. Quem nutriria tanta raiva contra a moça morta, raiva que não pôde dissimular nem mesmo diante do cadáver da vítima? Josie! Josie! Josie que era inteligente, prática e dura como unha. E *tudo por causa de dinheiro.*

"Eis o que quero dizer quando falo na rapidez de se acreditar nas coisas. Ninguém pensou em pôr em dúvida a afirmação de Josie de que o corpo era de Ruby Keene. Simplesmente porque, na ocasião, não parecia que pudesse ter motivo algum para mentir. O motivo foi sempre o problema. Josie estava evidentemente envolvida, mas a morte de Ruby parecia, no mínimo, contrária a seus interesses. Se Dinah Lee não tivesse mencionado Somerset House, eu não teria ligado os fatos.

"Casamento! Se Josie e Mark Gaskell fossem casados, então tudo estaria claro. Como os senhores sabem agora, Mark e Josie se casaram há um ano. Manteriam seu casamento em segredo até a morte do sr. Jeferson.

"Foi realmente interessante traçar o curso dos acontecimentos, ver exatamente como o plano funcionou. Complicado e, contudo, simples. Antes de tudo, a escolha da pobre criança, Pamela, sua abordagem com vista à vida artística. Um teste de tela... É claro que a pobre criança não resistiria. Sobretudo quando a coisa lhe foi exposta de modo tão plausível por Mark Gaskell. Ela vem ao hotel, ele está à sua espera, a conduz pela porta lateral e a apresenta a Josie, uma de suas técnicas de maquiagem! A pobre menina... como me sinto mal só em pensar nisso!... sentou-se no banheiro de Josie, enquanto Josie cuidava de seus cabelos, pintava-a e passava esmalte em suas unhas. Nesse meio-tempo, lhe terá dado um copo de refrigerante com alguma droga. Ela entrou em estado de coma. Imagino que devem tê-la colocado num dos quartos vazios do outro lado do corredor. Aqueles quartos que só são varridos uma vez por semana, lembram-se?

"Depois do jantar, Mark Gaskell saiu de carro, segundo *ele* disse, para a beira-mar. Foi quando levou o corpo de Pamela para o bangalô de Basil Blake, metido num vestido velho de Ruby, e o depositou em cima do tapete. Ela estava ainda inconsciente, mas não morta, quando ele a estrangulou com o cinto do vestido... Horrível, espero e peço a Deus que ela não tenha sentido nada. Em compensação, experimento uma grande satisfação em imaginá-lo enforcado... Isto deve ter se passado pouco depois das dez. Em seguida, voltou rapidamente e encontrou os outros no salão onde Ruby Keene, *ainda viva*, apresentava seu número da noite com Raymond.

"Quero crer que Josie deva ter dado antes instruções a Ruby. Ruby estava acostumada a fazer o que Josie mandasse. Deveria trocar de roupa, ir para o quarto de Josie e esperar. Ela também fora drogada, provavelmente no café, depois do jantar. Bocejava, lembram-se, quando conversava com o jovem Bartlett.

"Josie subiu mais tarde para "procurá-la", *mas ninguém, com exceção de Josie, entrou no quarto de Ruby*. Ali pôs fim à vida da moça, talvez com uma injeção ou, quem sabe, com um golpe na cabeça. Desceu, dançou com Raymond, discutiu com os Jefferson sobre o paradeiro de Ruby e, finalmente, foi deitar-se. Nas primeiras horas da madrugada, vestiu a moça com as roupas de Pamela, arrastou o corpo pelas escadas laterais... é uma mulher muito forte... apanhou o carro de George Bartlett, conduziu-o para a pedreira a três quilômetros de distância, derramou gasolina no carro e lhe ateou fogo. Em seguida, voltou a pé para o hotel, cronometrando sua chegada ali por volta das oito ou nove horas... já preocupada com o paradeiro de Ruby!"

— Uma trama intrincada — disse o coronel Melchett.

— Não mais intrincada que os passos de uma dança — disse Miss Marple.

— Acho que não.

— Ela era muito meticulosa — disse Miss Marple. — Previu mesmo a discrepância das unhas. Foi por isso que conseguiu fazer com que Ruby quebrasse uma unha em seu xale. Isso explicava o fato de Ruby ter cortado rente suas unhas.

— Sim, ela pensou nos mínimos detalhes — disse Harper. — E a única prova que a senhora tem, Miss Marple, são as unhas roídas de uma colegial.

— Mais do que isso — disse Miss Marple. — As pessoas falam demais. Mark Gaskell falava demais. Ao se referir a Ruby, disse que "tinha os dentes para dentro". Mas a moça morta na biblioteca do coronel Bantry tinha os dentes *para fora*.

— E foi esta sua última ideia dramática, Miss Marple? — perguntou gravemente Conway Jefferson.

— Bem, na realidade, *foi* — confessou Miss Marple. — É tão bom se ter certeza, não é?

— Não há duvida — disse Conway Jefferson, taciturno.

— O senhor sabe — continuou Miss Marple —, logo que Mark e Josie souberam que o senhor ia fazer um novo testamento, decidiram que teriam de tomar alguma providência. Já haviam cometido *dois* crimes por causa de dinheiro. Portanto, podiam muito bem cometer um terceiro. Mark, naturalmente, devia ficar inteiramente isento de qualquer suspeita. Assim, foi a Londres e criou um álibi, jantando num restaurante com amigos e indo a uma boate, Josie devia executar a tarefa. Queriam ainda que a morte de Ruby fosse atribuída a Basil, de modo que a morte do sr. Jefferson fosse considerada resultado de uma deficiência cardíaca. Havia digitalina na seringa, conforme me disse o inspetor. De modo que, qualquer médico daria como *causa mortis* uma crise cardíaca, muito natural nas circunstâncias. Josie tinha soltado uma das bolas de pedra que estavam em cima do balcão e iria deixá-la cair e se espatifar depois. A morte do sr. Jeferson seria atribuída a um susto.

— Demônio inteligente — disse Melchett.

— Então a terceira morte a que se referiu seria a de Conway Jefferson? — perguntou Sir Henry.

Miss Marple meneou a cabeça.

— Oh, não. Referia-me à morte de Basil Blake. Eles queriam vê-lo enforcado.

— Ou encerrado numa clínica de doentes mentais — disse Sir Henry.

Conway Jefferson gemeu.

— Sempre achei que Rosamund tinha esposado um patife. Esforçava-me para não admitir isso. Era louca por ele. Louca por um assassino! Bem, ele será enforcado e Josie também. Alegro-me de que Gaskell tenha fracassado e posto tudo a perder.

— Josie tem uma personalidade forte. O plano foi inteiramente dela. A ironia de tudo é que foi ela quem trouxe a moça para o hotel, sem jamais sonhar que iria entrar na fantasia do sr. Jefferson e botar por terra todos os seus próprios sonhos — disse Miss Marple.

— Pobre moça. Coitada da Ruby... — disse o sr. Jefferson.

Adelaide Jefferson e Hugo McLean entraram. Adelaide estava linda naquela noite. Aproximou-se de Conway Jefferson e pôs uma das mãos no seu ombro.

— Preciso dizer-lhe uma coisa, Jeff. Imediatamente. Vou casar-me com Hugo.

Conway Jefferson olhou para ela por alguns instantes e lhe disse rispidamente:

— Já é tempo de você se casar de novo. Minhas congratulações para ambos. A propósito, Addie, vou fazer um novo testamento amanhã.

Ela assentiu com a cabeça.

— Oh, sim, eu sei.

— Não, você não sabe. Vou deixar dez mil libras para você. Tudo o mais fica para Peter quando eu morrer. Como recebe isso, minha filha?

— Oh, *Jeff*! — faltou-lhe a fala. — Você é maravilhoso!

— É um garoto promissor. Gostaria de ver um dia seu sucesso. Mas nessa época já não existirei mais.

— Por que não, Jeff?!

— Peter tem uma grande sensibilidade para o crime — disse Conway Jeferson pensativo. — Não só tem a unha da moça assassinada... de uma das moças assassinadas... mas teve muita sorte de conseguir um pedaço do xale de Josie arrancado com a unha. Portanto, tem também um *souvenir* da criminosa! Isso o torna *muito* feliz!

Hugo e Adelaide passaram pelo salão de dança. Raymond aproximou-se deles.

— Tenho uma notícia para lhe dar — Adelaide foi logo dizendo. — Vamos nos casar.

O sorriso estampado no rosto de Raymond era perfeito. Um sorriso corajoso e melancólico.

— Espero — disse, ignorando a presença de Hugo e olhando-a nos olhos — que seja muito feliz, muito feliz...

Eles continuaram e Raymond os acompanhou com o olhar.

"Uma linda mulher", dizia para si mesmo. "Linda de verdade. E rica também. O negócio é que não posso livrar-me do azar dos Starr de Devonshire... Que posso fazer, se não tenho sorte? Dance, dance, meu caro."

E voltou para o salão de dança.

Sobre a autora

Agatha Christie nasceu em Torquay, cidade da Inglaterra, em 1890, e tornou-se a romancista mais vendida de todos os tempos. Escreveu oitenta romances e coletâneas de contos, além de mais de uma dúzia de peças, incluindo *A ratoeira*, peça que ficou mais tempo em cartaz na história teatral. Agatha também escreveu sua autobiografia, publicada no Brasil em 1977. Embora seu nome seja sinônimo de ficção policial, a extensão dos temas em seus romances é extraordinária, e Agatha realmente merece um lugar de destaque como uma das mais queridas escritoras de todos os tempos.

Seu sucesso permanente, ampliado pelas inúmeras adaptações para o cinema e para a tevê, é um tributo ao eterno fascínio de seus personagens e à absoluta engenhosidade de suas tramas.

Agatha Christie morreu em 1976, aos 85 anos, de causas naturais.

Surpreso com o desfecho desse mistério?

Não deixe de conferir outros desafios que
a Rainha do Crime preparou para seus detetives:

A maldição do espelho (Miss Marple)
A mansão Hollow (Hercule Poirot)
Assassinato no Expresso do Oriente (Hercule Poirot)
Cem gramas de centeio (Miss Marple)
Morte na Mesopotâmia (Hercule Poirot)
Morte no Nilo (Hercule Poirot)
Nêmesis (Miss Marple)
O mistério dos sete relógios
Os crimes ABC (Hercule Poirot)
Os elefantes não esquecem (Hercule Poirot)
Os trabalhos de Hércules (Hercule Poirot)

Este livro foi impresso em 2022 para a
HarperCollins Brasil.
A fonte usada no miolo é Bembo, corpo 10.